LETTRES PERSANES
CONSIDÉRATIONS

extraits

D0395957

— *10e tirage*

C. DE SECONDAT
DE MONTESQUIEU

MONTESQUIEU
d'après la médaille de Dassier.
(B. N., Cabinet des estampes.)

CLASSIQUES LAROUSSE

Fondés par
FÉLIX GUIRAND
Agrégé des Lettres

Dirigés par
LÉON LEJEALLE
Agrégé des Lettres

MONTESQUIEU

I

LETTRES PERSANES
CONSIDÉRATIONS

extraits

avec une Notice biographique, une Notice historique
et littéraire, des Notes explicatives, des Jugements,
un Questionnaire et des Sujets de devoirs,

par

C.-A. FUSIL

Agrégé et Docteur ès Lettres
(Nouvelle édition revue par L. Lejealle)

LIBRAIRIE LAROUSSE • PARIS VI

13 à 21, rue Montparnasse, et boulevard Raspail, 114
Succursale : 58, rue des Écoles (Sorbonne)

RÉSUMÉ CHRONOLOGIQUE DE LA VIE DE MONTESQUIEU
(1689-1755)

1689. — (18 janvier) Naissance de Charles de Secondat, baron de La Brèche de Montesquieu, au château de La Brède, près de Bordeaux.
   Adolescent, il est instruit par les Oratoriens de Juilly; il devient plus latiniste qu'helléniste.

1713. — Mort du père de Montesquieu.

1714. — Montesquieu est reçu conseiller au Parlement de Bordeaux.

1715. — Mariage de Montesquieu.

1716. — Montesquieu succède à son oncle dans la charge de président à mortier. Il est admis à l'académie de Bordeaux, qui avait été fondée vers 1712. Il y lit une *Dissertation sur la politique des Romains dans la religion*, et un mémoire sur *les Dettes de l'Etat*.

1717. — Il fonde un prix d'anatomie, lit des mémoires sur *l'Echo, les Maladies des glandes rénales, la Transparence des corps, le Flux et le Reflux, le Mouvement*; il projette d'écrire une « Histoire de la Terre » ancienne et moderne.

1721. — Publication des *Lettres persanes* (chez Marteau, Cologne, in-12), sans nom d'auteur. Grand succès : quatre éditions, contrefaçons. Montesquieu est l'homme du jour, fréquente le salon de Mme de Lambert, fait partie du club de l'Entresol, sorte d'académie libre des sciences morales et politiques. L'abbé de Saint-Pierre, d'Argenson, en étaient membres.

1722. — Montesquieu y donne lecture du *Dialogue de Sylla et d'Eucrate*.

1723. — *De la politique*.

1724. — *Réflexions sur la monarchie universelle*.

1725. — *Le Temple de Gnide*, roman galant.

1726. — Montesquieu vend sa charge de président.

1727. — *Le Voyage à Paphos*, conte galant.

1727. — (20 décembre) Montesquieu est élu à l'Académie française.

1728. — Voyages : Vienne, Hongrie, Italie, Suisse, Pays-Bas.

1729. — Séjour en Angleterre, où Montesquieu reste deux ans, chez lord Chesterfield; il est reçu membre de la Société royale de Londres.

1731. — Retour en France. Montesquieu lit plusieurs mémoires à l'académie de Bordeaux (perdus). Il se retire à La Brède.

1734. — *Considérations sur les causes de la grandeur des Romains et de leur décadence*. Amitié avec le P. Castel, qui devient son collaborateur zélé. Montesquieu travaille à *l'Esprit des lois*. Il y perd presque la vue.

1748. — *L'Esprit des lois* (Genève, 2 vol. in-4° et 3 vol. in-12).

1749. — Montesquieu attaqué comme déiste par *les Nouvelles ecclésiastiques* (jansénistes).

1750. — Montesquieu répond : *Défense de « l'Esprit des lois »*.

1751. — *Lysimaque*.

1752. — *L'Esprit des lois* est censuré à Rome, avec modération. La Sorbonne examine le livre sans se prononcer formellement. Le fermier général Dupin en fait la réfutation.
   Article sur « le Goût » pour *l'Encyclopédie*.

1754. — *Arsace et Isménie*.

1755. — (10 février) Mort de Montesquieu; il laisse des manuscrits, dont *Mes Pensées*.

Montesquieu avait cinq ans de plus que Voltaire; dix-huit ans de plus que Buffon; vingt-trois ans de plus que J.-J. Rousseau; vingt-quatre ans de plus que Diderot.

LETTRES PERSANES
1721

NOTICE

Ce qui se passait vers 1721. — EN POLITIQUE : *En France, Law est nommé, en 1720, contrôleur général des Finances ; la Banque royale est réunie à la Compagnie des Indes ; six mois plus tard elle ferme ses guichets. Déclaration ordonnant l'observation de la bulle Unigenitus. Exil du Parlement à Pontoise. Peste de Marseille. En 1721, l'abbé Dubois, secrétaire des Affaires étrangères depuis 1718, est nommé archevêque de Cambrai, et, en 1722, premier ministre. A sa sortie de la Bastille, la duchesse du Maine reprend ses réceptions. En 1717, le tzar Pierre le Grand séjourne deux mois à Paris.* — *A l'étranger :* en 1718, *Charles XII est tué au siège de Fredrikshald. Naissance de Marie-Thérèse d'Autriche.* 1721, *traité de Nystad, imposé à la Suède par Pierre le Grand ; déchéance de la Suède. Pierre le Grand abolit la dignité de patriarche et se fait lui-même chef de la religion ; la Russie devient une théocratie.* — *En Angleterre, Robert Walpole est ministre ; il le restera vingt et un ans.* — *La royauté prussienne grandit sous Frédéric-Guillaume Ier.*

DANS LES LETTRES ET DANS LES ARTS : *Salon de la marquise de Lambert. Le club de l'Entresol entre dans sa période brillante. En 1726, Marivaux aborde le théâtre avec une tragédie :* Annibal, *et une comédie :* Arlequin poli par l'amour. *En* 1721, *les* Macchabées, *tragédie d'Houdart de La Motte. Mort de Watteau. Lancret lui succède dans la faveur publique.*

Publication des « Lettres persanes ». — Les *Lettres persanes* parurent en 1721, chez Bunel, à Amsterdam, sans nom d'auteur. De nombreuses éditions s'épuisèrent rapidement, tant le succès fut considérable. En 1754, Montesquieu compléta son livre par un *Supplément* de onze lettres, et y joignit *Quelques réflexions sur les « Lettres persanes ».*

Contenu des « Lettres persanes ». — Le recueil comprend 160 lettres, qui s'échelonnent de février 1711 au commencement de 1720. Elles sont écrites par le Persan Usbek, grand seigneur qui, voyant venir sa disgrâce auprès du sophi ou sultan, a quitté son pays sous prétexte de s'instruire dans les sciences de l'Occident, et par son ami Rica, qui l'accompagne. Leurs correspondants principaux sont Mirza, Rustan, Nessib à Ispahan, Ibben qui est à Smyrne, Rhédi qui est à Venise. De leur côté, nos deux voyageurs reçoivent des lettres qui les renseignent sur ce qui se passe à Ispahan.

Les premières lettres sont écrites par Rica et Usbek, au cours des étapes de leur voyage : la première est datée de Tauris; puis ils sont à Smyrne (lettre 19), à Livourne (lettre 23), enfin à Paris (lettre 24) au début de 1712. La partie la plus importante de la correspondance (lettres 24 à 147) nous livre les remarques et les jugements des deux Persans sur la vie parisienne, sur les affaires de France, sur la situation politique et religieuse. De temps à autre s'intercalent les lettres venues d'Ispahan, qui tiennent Usbek au courant de ce qui se passe en son sérail : ses femmes lui écrivent des lettres passionnées, ou se plaignent de la sévérité excessive de l'eunuque noir, tandis que le chef des eunuques déplore sa vie misérable. Tout va mal, en effet, dans la maison d'Usbek depuis son départ : jalousie des femmes entre elles, infidélités de toute sorte. Usbek, de plus en plus sombre et jaloux, se décide à rentrer, lorsque éclate le drame dont les péripéties occupent toute la fin du recueil (lettres 147 à 160) : après la mort du grand eunuque, les femmes se révoltent; la dernière lettre est un message de la principale coupable, Roxane, qui, avant de se suicider, avoue ses responsabilités et exhale sa haine contre Usbek.

Sources des « Lettres persanes ». — Montesquieu n'a pas inventé le procédé qui consiste à faire voir Paris et la France par les yeux de quelque voyageur venu d'un pays lointain. Dufresny, dans les *Amusements sérieux et comiques* (1705), avait imaginé un Siamois qui, de passage à Paris, fait ses réflexions sur ce qu'il voit et entend : « Je vais donc prendre le génie d'un voyageur siamois, qui n'aurait jamais rien vu de semblable à ce qui se passe à Paris. [...] Je donnerai l'essor à mon imagination et à la sienne. [...] Je suppose donc que le Siamois tombe des nues, et qu'il se trouve dans le milieu de cette cité vaste et tumultueuse, où le repos et le silence ont peine à régner pendant la nuit même. [...] » Dans *le Spectateur anglais* d'Addison, un Javanais décrit Londres à un de ses compatriotes.

Pour se documenter et créer la couleur locale, Montesquieu s'est servi des *Voyages de Tavernier en Perse et aux Indes* (1676-1679, 3 vol. in-12), et du *Journal de voyage du chevalier Chardin en Perse et aux Indes occidentales* (Amsterdam, 3 vol. in-4°, 1711). Ajoutez le P. Marana : *l'Espion du Grand Seigneur dans les cours des princes chrétiens* (Paris, 6 vol. in-12, 1681 sq.). Ce livre eut une telle vogue que certaines éditions hollandaises des *Lettres persanes* portent en sous-titre : « Dans le goût de l'Espion dans les cours. » Dans ce livre, des gravures amusantes ont pu inspirer Montesquieu, comme aussi celles qu'il a trouvées dans la *Description de l'Univers* par Manesson Mallet (5 vol. in-4º). Les *Mémoires* de Mathieu Marais nous sont très utiles aujourd'hui pour commenter les *Lettres persanes*.

Intérêt des « Lettres persanes ». — Il est évident que la partie romanesque de l'ouvrage ne présente plus guère d'intérêt : la fausse couleur orientale, dont s'amusait la société de la Régence, est aujourd'hui démodée. Les histoires de sérail, pimentées de détails scabreux et compliquées de passions violentes, laissent le lecteur moderne assez indifférent.

Si cet asiatisme est faux, la peinture de la société française à la fin du règne de Louis XIV et au début de la Régence garde toute sa couleur. Le solide bon sens que Montesquieu prête à ses Orientaux lui permet de mettre en relief les bizarreries, les anomalies, les contradictions, qu'un esprit sans préjugés ne peut manquer de remarquer dans les mœurs et les coutumes des Français. Quant à la forme épistolaire, elle présente l'avantage de laisser à l'auteur pleine liberté pour passer sans transition d'un sujet à un autre : Rica et Usbek livrent leurs impressions au jour le jour, racontant ce que le hasard des circonstances leur a fait voir, ou ce que leur curiosité a découvert; ils s'engagent aussi dans de longues dissertations sur d'importants problèmes historiques ou sociologiques, illustrant leurs opinions par des récits, tel le conte philosophique des *Troglodytes* (lettres 11 à 14) ou le mythe d'*Aphéridon et Astarté*. Ainsi, la forme épistolaire est un cadre commode et souple qui permet à Montesquieu de nous révéler, par la plume de ses Persans, sa propre opinion sur l'état de la France dans les années 1715.

Sur la société française, Montesquieu porte des jugements, dont la sévérité rappelle celle de La Bruyère : il a gardé aussi l'habitude de faire des portraits, et certains *types* créés par Montesquieu (cf. par exemple lettre 72, p. 17) sont tout à fait dans le goût de La Bruyère. La coquetterie des femmes, les caprices de la mode, les changements de fortune, lui inspirent des propos qui n'ont rien de nouveau pour qui a lu *les Caractères*.

Mais lorsqu'il s'agit de s'attaquer aux institutions, la critique devient plus hardie et plus originale. Les lenteurs de la justice, le rôle néfaste des ministres, l'influence funeste des courtisans, sont dénoncés avec vigueur. C'est là qu'apparaît le Montesquieu politique, qui, non content de constater les abus de son temps, essaie de les expliquer : en effet, surtout à partir de la lettre 100, il recherche les causes du désordre qui règne en France, et découvre que toute la législation française est fondée sur une profonde contradiction : au lieu d'adopter une constitution conforme à la raison et à la justice naturelle, la France vit sous des lois qui ne sont pas faites pour elle, mais sont empruntées au droit romain et au droit pontifical. Poussant plus loin sa recherche, Montesquieu aborde encore de vastes problèmes : comment se sont formées les sociétés

humaines ? La nature humaine possède-t-elle les qualités nécessaires pour que la vie sociale soit possible ? Telles sont les questions
auxquelles répondent les lettres sur les *Troglodytes* (lettres 11 à 14).
Et quelles sont les conditions pour que les groupes humains se
développent et se multiplient ? Les lettres 112 à 122 étudient les
raisons qui favorisent ou gênent le peuplement ; elles peuvent être
d'ordre physique, politique, social, religieux, et Montesquieu
essaie de dégager les lois qui expliquent la diminution ou l'accrois-
sement de la population dans les diverses parties du globe.

Quant à la religion, elle est également l'objet de vives critiques.
On trouve dans les *Lettres persanes* non seulement les railleries tra-
ditionnelles contre les ordres religieux et contre les casuistes, mais
la condamnation formelle des princes de l'Église et des docteurs
(lettre 29). Très habilement, Montesquieu utilise la dualité religieuse
qui, en Perse, opposait mahométans et guèbres (disciples de
Zoroastre) pour condamner la politique de Louis XIV et de l'Église,
qui ont commis la lourde erreur de révoquer l'Édit de Nantes
(lettre 85). C'est là que Montesquieu, qui croit qu'aucune religion
ne peut prétendre à posséder seule la vérité (lettre 46), prend
nettement parti pour la tolérance religieuse. Lui-même croit que
la soumission à Dieu se manifeste dans les actes plus que dans les
croyances : « L'observation des lois, l'amour pour les hommes, la
piété envers les parents sont toujours les premiers actes de la religion. » Sa morale se fonde sur le respect de la liberté individuelle
et défend le droit au suicide (lettre 76).

Place des « Lettres persanes » dans l'œuvre de Montesquieu. —
La vigueur des critiques formulées, l'ampleur des questions
posées par Montesquieu dans les *Lettres persanes*, révèlent déjà
quelles sont, dès 1721, ses préoccupations. Observateur implacable
des erreurs de son temps, il les dénonce avec un esprit mordant.
Il n'était ni le premier ni le seul à le faire ; nulle œuvre de ce genre
n'eut pourtant le succès que rencontrèrent les *Lettres persanes* :
l'habileté avec laquelle Montesquieu utilisait la fiction orientale[1],
l'audacieuse franchise avec laquelle il s'attaquait aux institutions,
les qualités du style, sec, vif, alerte, justifiaient l'engouement du
public.

Mais au-delà de la satire, on voit déjà s'ébaucher la partie cons-
tructive de l'œuvre de Montesquieu. Les grands problèmes qui
seront étudiés dans *l'Esprit des lois* sont déjà posés dans les *Lettres
persanes* : on y devine le philosophe de l'histoire, le créateur des
sciences juridiques et sociologiques. Quant à l'idéal moral que
proposent les *Lettres persanes*, il contient en germe tout le pro-

---

1. Les *Lettres persanes* ont contribué à la vogue que prirent par la suite
les romans « exotiques » par lettres : *Lettres chinoises*, du marquis d'Argens
(1725) ; *Lettres d'une Péruvienne*, de Mme de Graffigny (1747) ; *Lettres siamoises*,
de Landon (1751), etc.

gramme des philosophes : respect de la liberté de conscience, confiance en la raison humaine, soumission aux préceptes de la loi naturelle. Montesquieu restera constamment fidèle à cet idéal; mais il laissera à d'autres le soin de le diffuser dans des ouvrages de polémique et de propagande; il se consacrera lui-même à des œuvres plus sereines, plus ardues, qui, sous leur apparence majestueuse, n'en contribueront pas moins à répandre l'esprit philosophique.

N. B. — Dans tous les extraits suivants, il n'y aurait aucun intérêt à classer les lettres choisies dans l'ordre où elles se présentent dans le recueil complet, puisque Montesquieu passe sans cesse d'un sujet à un autre. Aussi les a-t-on groupées sous quelques rubriques : les Portraits, la Politique, la Religion, la Démographie, les Troglodytes, Choses et Gens de lettres.

BIBLIOGRAPHIE SOMMAIRE

Albert SOREL : *Montesquieu* (Paris, Hachette, 1887);

Gustave LANSON : *Montesquieu* (Paris, Alcan, 1932);

Joseph DEDIEU : *Montesquieu, l'homme et l'œuvre* (Paris, Boivin, 1943);

Pierre BARRIÈRE : *Un grand provincial : Charles-Louis de Secondat, baron de La Brède et de Montesquieu* (Paris, Delmas, 1946);

Jean STAROBINSKI : *Montesquieu par lui-même* (Paris, Éd. du Seuil, 1953).

LETTRES PERSANES

I. — LES PORTRAITS

48. USBEK À RHÉDI, À VENISE

Ceux qui aiment à s'instruire ne sont jamais oisifs :
quoique je ne sois chargé d'aucune affaire importante, je
suis cependant dans une occupation continuelle. Je passe
ma vie à examiner[1]; j'écris le soir ce que j'ai remarqué, ce
que j'ai vu, ce que j'ai entendu dans la journée. Tout m'in-
téresse, tout m'étonne : je suis comme un enfant, dont les
organes encore tendres sont vivement frappés par les
moindres objets[2].

Tu ne le croirais pas peut-être : nous sommes reçus
agréablement dans toutes les compagnies et dans toutes
les sociétés. Je crois devoir beaucoup à l'esprit vif et à la
gaieté naturelle de Rica, qui fait qu'il recherche tout le
monde, et qu'il en est également recherché. Notre air étranger n'offense plus personne; nous jouissons même de la
surprise où l'on est de nous trouver quelque politesse :
car les Français n'imaginent pas que notre climat produise
des hommes. Cependant, il faut l'avouer, ils valent bien
la peine qu'on les détrompe.

J'ai passé quelques jours dans une maison de campagne
auprès de Paris, chez un homme de considération[3], qui est
ravi d'avoir de la compagnie chez lui. Il a une femme fort
aimable, et qui joint à une grande modestie une gaieté que
la vie retirée ôte toujours à nos dames de Perse.

Étranger que j'étais, je n'avais rien de mieux à faire que
d'examiner cette foule de gens qui y abordait sans cesse,
et qui me présentait toujours quelque chose de nouveau.
Je remarquai d'abord un homme dont la simplicité me plut;

---

1. *Examiner* : peser exactement; **2.** *Objet* (du lat. *objectum*) : tout ce qui
est placé devant nos yeux, êtres et choses; **3.** Considérable par sa situation.

je m'attachai à lui, il s'attacha à moi : de sorte que nous nous trouvions toujours l'un auprès de l'autre.

Un jour que, dans un grand cercle, nous nous entretenions en particulier, laissant les conversations générales à elles-mêmes : « Vous trouverez peut-être en moi, lui dis-je, plus de curiosité que de politesse; mais je vous supplie d'agréer que je vous fasse quelques questions : car je m'ennuie de n'être au fait de rien, et de vivre avec des gens que je ne saurais démêler[1]. Mon esprit travaille depuis deux jours; il n'y a pas un seul de ces hommes qui ne m'ait donné deux cents fois la torture, et je ne les devinerais de mille ans : ils me sont plus invisibles que les femmes de notre grand monarque[2]. — Vous n'avez qu'à dire, me répondit-il, et je vous instruirai de tout ce que vous souhaiterez; d'autant mieux que je vous crois homme discret, et que vous n'abuserez pas de ma confiance. »

« Qui est cet homme, lui dis-je, qui nous a tant parlé des repas qu'il a donnés aux grands, qui est si familier avec vos ducs, et qui parle si souvent à vos ministres, qu'on me dit être d'un accès si difficile ? Il faut bien que ce soit un homme de qualité; mais il a la physionomie si basse qu'il ne fait guère honneur aux gens de qualité; et d'ailleurs je ne lui trouve point d'éducation. Je suis étranger; mais il me semble qu'il y a en général une certaine politesse commune à toutes les nations; je ne lui trouve point de celle-là : est-ce que vos gens de qualité sont plus mal élevés que les autres ? — Cet homme, me répondit-il en riant, est un fermier[3]; il est autant au-dessus des autres par ses richesses qu'il est au-dessous de tout le monde par sa naissance; il aurait la meilleure table de Paris, s'il pouvait se résoudre à ne manger jamais chez lui. Il est bien impertinent, comme vous voyez; mais il excelle par son cuisinier : aussi n'en est-il pas ingrat, car vous avez entendu qu'il l'a loué tout aujourd'hui. »

« Et ce gros homme vêtu de noir, lui dis-je, que cette dame a fait placer auprès d'elle, comment a-t-il un habit si lugubre avec un air si gai et un teint si fleuri ? Il sourit gracieusement dès qu'on lui parle; sa parure est plus modeste, mais plus arrangée que celle de vos femmes. — C'est, me

---

1. *Démêler* : distinguer les uns des autres; 2. Le shah de Perse, dont les femmes vivent enfermées dans le harem; 3. Les impôts indirects, aides, gabelles, douanes intérieures, étaient en adjudication, affermés à des sociétés composées de financiers, dits *fermiers*, partisans ou traitants.

répondit-il, un prédicateur, et, qui pis est, un directeur[1]. Tel que vous le voyez, il en sait plus que les maris; il connaît le faible des femmes : elles savent aussi qu'il a le sien. — Comment? lui dis-je, il parle toujours de quelque chose qu'il appelle la *grâce*? — Non pas toujours, me répondit-il : à l'oreille d'une jolie femme il parle encore plus volontiers de sa chute; il foudroie en public, mais il est doux comme un agneau en particulier. — Il me semble, dis-je, qu'on le distingue beaucoup, et qu'on a de grands égards pour lui. — Comment! si on le distingue! C'est un homme nécessaire; il fait la douceur de la vie retirée : petits conseils, soins officieux, visites marquées; il dissipe un mal de tête mieux qu'homme du monde : il est excellent. »

« Mais, si je ne vous importune pas, dites-moi qui est celui qui est vis-à-vis de nous, qui est si mal habillé; qui fait quelquefois des grimaces, et a un langage différent des autres; qui n'a pas d'esprit pour parler, mais qui parle pour avoir de l'esprit? — C'est, me répondit-il, un poète, et le grotesque du genre humain. Ces gens-là disent qu'ils sont nés ce qu'ils sont[2]; cela est vrai, et aussi ce qu'ils seront toute leur vie, c'est-à-dire presque toujours les plus ridicules de tous les hommes : aussi ne les épargne-t-on point; on verse sur eux le mépris à pleines mains. La famine a fait entrer celui-ci dans cette maison; et il y est bien reçu du maître et de la maîtresse, dont la bonté ne se dément à l'égard de personne; il fit leur épithalame[3] lorsqu'ils se marièrent : c'est ce qu'il a fait de mieux en sa vie; car il s'est trouvé que le mariage a été aussi heureux qu'il l'a prédit. »

« Vous ne le croiriez pas peut-être, ajouta-t-il, entêté comme vous êtes des préjugés de l'Orient : il y a parmi nous des mariages heureux et des femmes dont la vertu est un gardien sévère. Les gens dont nous parlons goûtent entre eux une paix qui ne peut être troublée; ils sont aimés et estimés de tout le monde. Il n'y a qu'une chose : c'est que leur bonté naturelle leur fait recevoir chez eux toute sorte de monde; ce qui fait qu'ils ont quelquefois mauvaise compagnie. Ce n'est pas qu'ils les désapprouve : il faut vivre

---

1. *Directeur* de conscience, confesseur; rôle qui revenait particulièrement aux révérends pères jésuites. Il assure le salut des « dirigés » en leur facilitant la grâce divine, au prix de tout petits sacrifices. Voir Pascal (*Provinciales*) ; 2. On naît poète, dit-on. Montesquieu n'aime pas les poètes; 3. *Epithalame* : chant de mariage.

avec les hommes tels qu'ils sont; les gens qu'on dit être de si bonne compagnie ne sont souvent que ceux dont les vices sont plus raffinés, et peut-être en est-il comme des poisons, dont les plus subtils sont aussi les plus dangereux. »

« Et ce vieux homme, lui dis-je tout bas, qui a l'air si chagrin ? Je l'ai pris d'abord pour un étranger : car, outre qu'il est habillé autrement que les autres, il censure tout ce qui se fait en France et n'approuve pas votre gouvernement. — C'est un vieux guerrier, me dit-il, qui se rend mémorable à tous ses auditeurs par la longueur de ses exploits. Il ne peut souffrir que la France ait gagné des batailles où il ne se soit pas trouvé, ou qu'on vante un siège où il n'ait pas monté à la tranchée. Il se croit si nécessaire à notre histoire, qu'il s'imagine qu'elle finit où il a fini : il regarde quelques blessures[1], qu'il a reçues, comme la dissolution de la monarchie et, à la différence de ces philosophes qui disent qu'on ne jouit que du présent, et que le passé n'est rien, il ne jouit au contraire que du passé et n'existe que dans les campagnes qu'il a faites : il respire dans les temps qui se sont écoulés comme les héros doivent vivre dans ceux qui passeront après eux. — Mais pourquoi, dis-je, a-t-il quitté le service ? — Il ne l'a point quitté, me répondit-il; mais le service l'a quitté : on l'a employé dans une petite place, où il racontera ses aventures le reste de ses jours; mais il n'ira jamais plus loin : le chemin des honneurs lui est fermé. — Et pourquoi ? lui dis-je. — Nous avons une maxime en France, me répondit-il : c'est de n'élever jamais les officiers dont la patience a langui dans les emplois subalternes. Nous les regardons comme des gens dont l'esprit s'est rétréci dans les détails, et qui, par l'habitude des petites choses, sont devenus incapables des plus grandes. Nous croyons qu'un homme qui n'a pas les qualités d'un général à trente ans ne les aura jamais; que celui qui n'a pas ce coup d'œil qui montre tout d'un coup un terrain de plusieurs lieues dans toutes ses situations différentes, cette présence d'esprit qui fait que, dans une victoire, on se sert de tous ses avantages, et, dans un échec, de toutes ses ressources, n'acquerra jamais ces talents. C'est pour cela que nous avons des emplois brillants pour ces hommes

---

1. Montesquieu joue sans doute sur ce mot : ce n'est pas, comme on pourrait s'y attendre, des blessures reçues au feu qu'il s'agit, mais des blessures d'amour-propre; cf. les lignes suivantes.

grands et sublimes que le Ciel a partagés non seulement
d'un cœur, mais aussi d'un génie héroïque[1], et des emplois
subalternes pour ceux dont les talents le sont aussi. De ce
nombre sont ces gens qui ont vieilli dans une guerre obscure :
ils ne réussissent tout au plus qu'à faire ce qu'ils ont fait
toute leur vie, et il ne faut point commencer à les charger
dans le temps qu'ils s'affaiblissent. »

Un moment après, la curiosité me reprit, et je lui dis :
« Je m'engage à ne vous plus faire de questions, si vous voulez
encore souffrir celle-ci. Qui est ce grand jeune homme qui
a des cheveux, peu d'esprit et tant d'impertinence ? D'où
vient qu'il parle plus haut que les autres, et se sait si bon
gré d'être au monde ? — C'est un homme à bonnes fortunes »,
me répondit-il. A ces mots, des gens entrèrent, d'autres
sortirent ; on se leva ; quelqu'un vint parler à mon gentil-
homme, et je restai aussi peu instruit qu'auparavant. Mais
un moment après, je ne sais par quel hasard, ce jeune homme
se trouva auprès de moi, et, m'adressant la parole : « Il
fait beau. Voudriez-vous, Monsieur, faire un tour dans le
parterre ? » Je lui répondis le plus civilement qu'il me fut
possible, et nous sortîmes ensemble. « Je suis venu à la campagne, me dit-il, pour faire plaisir à la maîtresse de la maison,
avec laquelle je ne suis pas mal. Il y a bien certaine femme
dans le monde qui ne sera pas de bonne humeur. Mais
qu'y faire ? Je vois les plus jolies femmes de Paris ; mais je
ne me fixe pas à une, et je leur en donne bien à garder[2] :
car, entre vous et moi, je ne vaux pas grand'chose. — Apparemment, Monsieur, lui dis-je, que vous avez quelque charge
ou quelque emploi qui vous empêche d'être plus assidu
auprès d'elles. — Non, Monsieur, je n'ai d'autre emploi
que de faire enrager un mari, ou désespérer un père ; j'aime
à alarmer une femme qui croit me tenir, et la mettre à deux
doigts de ma[3] perte. Nous sommes quelques jeunes gens
qui partageons ainsi tout Paris, et l'intéressons à nos
moindres démarches. — A ce que je comprends, lui dis-je,
vous faites plus de bruit que le guerrier le plus valeureux,
et vous êtes plus considéré qu'un grave magistrat. Si vous
étiez en Perse, vous ne jouiriez pas de tous ces avantages :
vous deviendriez plus propre à garder nos dames qu'à leur
plaire[4]. » Le feu me monta au visage ; et je crois que, pour peu

---

1. Don naturel qui porte à l'héroïsme ; 2. C'est-à-dire : je leur en fais accroire ;
3. Jolie impertinence : c'est lui qui résiste et succombe ; 4. C'est-à-dire eunuque.

que j'eusse parlé, je n'aurais pu m'empêcher de le brusquer.

Que dis-tu d'un pays où l'on tolère de pareilles gens, et où l'on laisse vivre un homme qui fait un tel métier ? où l'infidélité, la trahison, le rapt, la perfidie et l'injustice conduisent à la considération ? où l'on estime un homme parce qu'il ôte une fille à son père, une femme à son mari, et trouble les sociétés les plus douces et les plus saintes ? Heureux les enfants d'Hali[1], qui défendent leurs familles de l'opprobre et de la séduction ! La lumière du jour n'est pas plus pure que le feu qui brûle dans le cœur de nos femmes; nos filles ne pensent qu'en tremblant au jour qui doit les priver de cette vertu qui les rend semblables aux Anges et aux Puissances incorporelles. Terre natale et chérie, sur qui le Soleil jette ses premiers regards, tu n'es point souillée par les crimes horribles qui obligent cet astre à se cacher dès qu'il paraît dans le noir Occident !

A Paris, le 5 de la lune de Rhamazan, 1713.

52. RICA À USBEK

J'étais l'autre jour dans une société où je me divertis assez bien. Il y avait là des femmes de tous les âges : une de quatre-vingts ans, une de soixante, une de quarante, qui avait une nièce de vingt à vingt-deux. Un certain instinct me fit approcher de cette dernière, et elle me dit à l'oreille : « Que dites-vous de ma tante, qui à son âge veut avoir des amants, et fait encore la jolie ? — Elle a tort, lui dis-je : c'est un dessein qui ne convient qu'à vous. » Un moment après, je me trouvai auprès de sa tante, qui me dit : « Que dites-vous de cette femme, qui a pour le moins soixante ans, qui a passé aujourd'hui plus d'une heure à sa toilette ? — C'est du temps perdu, lui dis-je; et il faut avoir vos charmes pour devoir y songer. » J'allai à cette malheureuse femme de soixante ans et la plaignais dans mon âme, lorsqu'elle me dit à l'oreille : « Y a-t-il rien de si ridicule ? voyez cette femme qui a quatre-vingts ans, et qui met des rubans couleur de feu; elle veut faire la jeune, et elle y réussit : car elle approche de l'enfance. » — Ah! bon Dieu, dis-je en moi-même, ne sentirons-nous jamais que le ridicule des autres ?

---

1. *Hali :* cousin et gendre de Mahomet, fondateur d'une des principales sectes du mahométisme adoptée par les Persans.

C'est peut-être un bonheur, disais-je ensuite, que nous trouvions de la consolation dans les faiblesses d'autrui. » Cependant j'étais en train de me divertir, et je dis : « Nous avons assez monté; descendons à présent, et commençons par la vieille qui est au sommet. » — « Madame, vous vous ressemblez si fort, cette dame à qui je viens de parler et vous, qu'il semble que vous soyez deux sœurs; et je vous crois à peu près du même âge. — Vraiment, Monsieur, me dit-elle, lorsque l'une mourra, l'autre devra avoir grand'peur : je ne crois pas qu'il y ait d'elle à moi deux jours de différence. » Quand je tins cette femme décrépite, j'allai à celle de soixante ans. « Il faut, Madame, que vous décidiez[1] un pari que j'ai fait; j'ai gagé que cette dame et vous (lui montrant la femme de quarante ans) étiez de même âge. — Ma foi, dit-elle, je ne crois pas qu'il y ait six mois de différence. — Bon, m'y voilà : continuons. » Je descendis encore, et j'allai à la femme de quarante ans : « Madame, faites-moi la grâce de me dire si c'est pour rire que vous appelez cette demoiselle, qui est à l'autre table, votre nièce ? Vous êtes aussi jeune qu'elle; elle a même quelque chose dans le visage de passé[2] que vous n'avez certainement pas; et ces couleurs vives qui paraissent sur votre teint... — Attendez, me dit-elle : je suis sa tante; mais sa mère avait pour le moins vingt-cinq ans de plus que moi : nous n'étions pas de même lit; j'ai ouï dire à feu ma sœur que sa fille et moi naquîmes la même année. — Je le disais bien, Madame, et je n'avais pas tort d'être étonné. »

Mon cher Usbek, les femmes qui se sentent finir d'avance par la perte de leurs agréments voudraient reculer vers la jeunesse. Eh! comment ne chercheraient-elles pas à tromper les autres ? elles font tous leurs efforts pour se tromper elles-mêmes, et se dérober à la plus affligeante de toutes les idées.

A Paris, le 3 de la lune de Chalval, 1713.

72. RICA À USBEK

Je me trouvai l'autre jour dans une compagnie où je vis un homme bien content de lui. Dans un quart d'heure, il décida[1] trois questions de morale, quatre problèmes his-

---

1. *Décider* : trancher; 2. Se dit d'une étoffe qui a perdu ses couleurs.

toriques, et cinq points de physique. Je n'ai jamais vu un décisionnaire si universel; son esprit ne fut jamais suspendu par le moindre doute. On laissa les sciences; on parla des nouvelles du temps : il décida sur les nouvelles du temps. Je voulus l'attraper, et je dis en moi-même : « Il faut que je me mette dans mon fort; je vais me réfugier dans mon pays. » Je lui parlai de la Perse : mais à peine lui eus-je dit quatre mots, qu'il me donna deux démentis, fondés sur l'autorité de MM. Tavernier et Chardin[1]. « Ah! bon Dieu! dis-je en moi-même, quel homme est-ce là? Il connaîtra tout à l'heure les rues d'Ispahan mieux que moi! » Mon parti fut bientôt pris : je me tus, je le laissai parler, et il décide encore.

A Paris, le 8 de la lune de Zilcadé, 1715.

87. RICA À ★★★

On dit que l'homme est un animal sociable. Sur ce pied-là, il me paraît qu'un Français est plus homme qu'un autre; c'est l'homme par excellence, car il semble être fait uniquement pour la société.

Mais j'ai remarqué parmi eux des gens qui non seulement sont sociables, mais sont eux-mêmes la société universelle. Ils se multiplient dans tous les coins; ils peuplent en un moment les quatre quartiers d'une ville. Cent hommes de cette espèce abondent plus que deux mille citoyens; ils pourraient réparer aux yeux des étrangers les ravages de la peste ou de la famine. On demande dans les écoles si un corps peut être en un instant en plusieurs lieux[2]; ils sont une preuve de ce que les philosophes mettent en question.

Ils sont toujours empressés, parce qu'ils ont l'affaire importante de demander à tous ceux qu'ils voient, où ils vont, et d'où ils viennent.

On ne leur ôterait jamais de la tête qu'il est de la bienséance de visiter chaque jour le public en détail, sans

Commercial

1. Les *Voyages de Tavernier en Turquie, en Perse et aux Indes* (1676-1679, 3 vol.), et le *Journal du voyage du chevalier Chardin en Perse et aux Indes orientales* (1711, Amsterdam, 3 vol.) ont fourni une grande partie de la couleur locale des *Lettres persanes*. Voir La Bruyère (*Caractères*, V, 9 : « Arrias »);
2. C'est le don d'ubiquité, d'être « partout », objet des disputes scolastiques.

compter les visites qu'ils font en gros dans les lieux où l'on s'assemble. Mais, comme la voie en est trop abrégée, elles sont comptées pour rien dans les règles de leur cérémonial.

Ils fatiguent plus les portes des maisons à coups de marteau[1] que les vents et les tempêtes. Si l'on allait examiner la liste de tous les portiers, on y trouverait chaque jour leur nom estropié de mille manières en caractères suisses[2]. Ils passent leur vie à la suite d'un enterrement, dans des compliments de condoléance ou dans des félicitations de mariage. Le Roi ne fait point de gratification à quelqu'un de ses sujets qu'il ne leur en coûte une voiture pour lui en aller témoigner leur joie. Enfin, ils reviennent chez eux, bien fatigués, se reposer, pour pouvoir reprendre le lendemain leurs pénibles fonctions.

Un d'eux mourut l'autre jour de lassitude, et on mit cette épitaphe sur son tombeau : « C'est ici que repose celui qui ne s'est jamais reposé. Il s'est promené à cinq cent trente enterrements. Il s'est réjoui de la naissance de deux mille six cent quatre-vingts enfants. Les pensions dont il a félicité ses amis, toujours en des termes différents, montent à deux millions six cent mille livres ; le chemin qu'il a fait sur le pavé, à neuf mille six cents stades[3] ; celui qu'il a fait dans la campagne, à trente-six. Sa conversation était amusante : il avait un fonds tout fait de trois cent soixante-cinq contes ; il possédait, d'ailleurs, depuis son jeune âge, cent dix-huit apophtegmes[4] tirés des Anciens, qu'il employait dans les occasions brillantes. Il est mort enfin à la soixantième année de son âge. Je me tais, voyageur[5]. Car comment pourrais-je achever de te dire ce qu'il a fait et ce qu'il a vu ? »

De Paris, le 3 de la lune de Gemmadi 2ᵉ, 1715.

99. RICA À RHÉDI, À VENISE

Je trouve les caprices de la mode, chez les Français, étonnants. Ils ont oublié comment ils étaient habillés cet été, ils ignorent encore plus comment ils le seront cet

---

1. *Marteau* : heurtoir à l'extérieur d'une porte ; 2. Les Suisses étaient souvent portiers ; 3. *Stade* : mesure grecque : 600 pieds ; 9 600 stades = 1 920 kilomètres ; 4. *Apophtegmes* : sentences ; 5. Parodie des inscriptions funéraires chez les Anciens.

hiver; mais surtout on ne saurait croire combien il en coûte à un mari pour mettre sa femme à la mode. Que me servirait de te faire une description exacte de leur habillement et de leur parure? Une mode nouvelle viendrait détruire tout mon ouvrage, comme celui de leurs ouvriers, et, avant que tu n'eusses reçu ma lettre, tout serait changé.

Une femme qui quitte Paris pour aller passer six mois à la campagne, en revient aussi antique que si elle s'y était oubliée trente ans. Le fils méconnaît le portrait de sa mère, tant l'habit avec lequel elle est peinte lui paraît étranger; il s'imagine que c'est quelque Américaine qui y est représentée, ou que le peintre a voulu exprimer quelqu'une de ses fantaisies[1].

Quelquefois les coiffures montent insensiblement, et une révolution les fait descendre tout à coup. Il a été un temps que leur hauteur immense mettait le visage d'une femme au milieu d'elle-même; dans un autre, c'étaient les pieds qui occupaient cette place; les talons faisaient un piédestal qui les tenait en l'air. Qui pourrait le croire? Les architectes ont été souvent obligés de hausser, de baisser et d'élargir leurs portes, selon que les parures des femmes exigeaient d'eux ce changement, et les règles de leur art ont été asservies à ces caprices. On voit quelquefois sur un visage une quantité prodigieuse de mouches[2], et elles disparaissent toutes le lendemain. Autrefois les femmes avaient de la taille et des dents; aujourd'hui il n'en est plus question. Dans cette changeante nation, quoi qu'en disent les mauvais plaisants, les filles se marient autrement faites que leurs mères.

Il en est des manières et de la façon de vivre comme des modes; les Françaises changent de mœurs selon l'âge de leur roi. Le monarque pourrait même parvenir à rendre la nation grave, s'il l'avait entrepris. Le prince imprime le caractère de son esprit à la cour, la cour à la ville[3], la ville aux provinces. L'âme du souverain est un moule qui donne la forme à toutes les autres.

A Paris, le 8 de la lune de Saphar, 1717.

1. *Fantaisies* : produits de l'imagination; 2. *Mouche* : petit morceau de taffetas que les femmes se mettaient sur la figure pour que leur peau parût plus blanche; 3. Ici, la haute société parisienne, magistrature, haute bourgeoisie. Voir dans La Bruyère *la Cour et la Ville*.

110. RICA À ***

Le rôle d'une jolie femme est beaucoup plus grave que l'on ne pense : il n'y a rien de plus sérieux que ce qui se passe le matin à sa toilette, au milieu de ses domestiques : un général d'armée n'emploie pas plus d'attention à placer sa droite ou son corps de réserve qu'elle en met à poster une mouche[1] qui peut manquer, mais dont elle espère ou prévoit le succès.

Quelle gêne[2] d'esprit, quelle attention, pour concilier sans cesse les intérêts de deux rivaux, pour paraître neutre à tous les deux pendant qu'elle est livrée à l'un et à l'autre, et se rendre médiatrice[3] sur tous les sujets de plainte qu'elle leur donne !

Quelle occupation pour faire succéder et renaître les parties de plaisir et prévenir tous les accidents qui pourraient les rompre !

Avec tout cela, la plus grande peine n'est pas de se divertir, c'est de le paraître : ennuyez-les tant que vous voudrez, elles vous le pardonneront, pourvu que l'on puisse croire qu'elles se sont réjouies.

Je fus, il y a quelques jours, d'un souper que des femmes firent à la campagne. Dans le chemin, elles disaient sans cesse : « Au moins, il faudra bien nous divertir. »

Nous nous trouvâmes assez mal assortis et, par conséquent, assez sérieux. « Il faut avouer, dit une de ces femmes, que nous nous divertissons bien : il n'y a pas aujourd'hui dans Paris une partie si gaie que la nôtre. » Comme l'ennui me gagnait, une femme me secoua et me dit : « Eh bien! ne sommes-nous pas de bonne humeur ? — Oui, lui répondis-je en bâillant; je crois que je crèverai à force de rire. » Cependant la tristesse triomphait toujours des réflexions, et, quant à moi, je me sentis conduit de bâillement en bâillement dans un sommeil léthargique[4] qui finit tous mes plaisirs.

A Paris, le 11 de la lune de Maharram, 1718.

---

1. Cf. p. 20, note 2; 2. *Gêne* : torture (sens fort de la langue classique); 3. C'est-à-dire : s'entremettre; 4. *Léthargique* : qui donne l'oubli.

II. — LA POLITIQUE

24. RICA À IBBEN, À SMYRNE

[...] Le roi de France est le plus puissant prince de l'Europe. Il n'a point de mines d'or comme le roi d'Espagne[1], son voisin; mais il a plus de richesses que lui, parce qu'il les tire de la vanité de ses sujets, plus inépuisable que les mines. On lui a vu entreprendre ou soutenir de grandes guerres, n'ayant d'autres fonds que des titres d'honneur à vendre[2], et, par un prodige de l'orgueil humain, ses troupes se trouvaient payées, ses places munies[3], et ses flottes équipées.

D'ailleurs ce roi est un grand magicien : il exerce son empire sur l'esprit même de ses sujets; il les fait penser comme il veut. S'il n'a qu'un million d'écus dans son trésor, et qu'il en ait besoin de deux, il n'a qu'à leur persuader qu'un écu en vaut deux, et ils le croient[4]. S'il a une guerre difficile à soutenir, et qu'il n'ait point d'argent, il n'a qu'à leur mettre dans la tête qu'un morceau de papier est de l'argent, et ils en sont aussitôt convaincus[5]. Il va même jusqu'à leur faire croire qu'il les guérit de toutes sortes de maux en les touchant[6]; tant est grande la force et la puissance qu'il a sur les esprits.

Ce que je te dis de ce prince ne doit pas t'étonner : il y a un autre magicien, plus fort que lui, qui n'est pas moins maître de son esprit qu'il l'est lui-même de celui des autres. Ce magicien s'appelle *le Pape*. Tantôt il lui fait croire que trois ne sont qu'un, que le pain qu'on mange n'est pas du pain, ou que le vin qu'on boit n'est pas du vin, et mille autres choses de cette espèce[7].

Et, pour le tenir toujours en haleine et ne point lui laisser perdre l'habitude de croire, il lui donne de temps en temps, pour l'exercer, de certains articles de croyance [...].

De Paris, le 4 de la lune de Rebiab 2ᵉ, 1712.

1. Au Pérou; 2. Sous la royauté, le roi empruntait en créant des charges, qu'il vendait très cher, parce qu'elles comportaient certaines exemptions et qu'elles conféraient la noblesse; 3. *Munies :* fortifiées (cf. lat. *munire*); 4. Allusion aux variations des monnaies, dont la valeur était arbitrairement modifiée par des édits royaux, selon les besoins du Trésor; 5. L'émission du premier papier-monnaie eut lieu en 1701; 6. Les rois de France *touchaient* les écrouelles pour les guérir; 7. L'irrévérence religieuse n'est pas même voilée.

37. RICA À IBBEN, À SMYRNE

Le roi de France est vieux[1]. Nous n'avons point d'exemples dans nos histoires d'un monarque qui ait si longtemps régné. On dit qu'il possède à un très haut degré le talent de se faire obéir : il gouverne avec le même génie sa famille, sa cour, son État. On lui a souvent entendu dire que, de tous les gouvernements du monde, celui des Turcs ou celui de notre auguste sultan lui plairait le mieux[2], tant il fait cas de la politique orientale.

J'ai étudié son caractère, et j'y ai trouvé des contradictions qu'il m'est impossible de résoudre. Par exemple : il a un ministre qui n'a que dix-huit ans[3], et une maîtresse qui en a quatre-vingts[4] ; il aime sa religion, et il ne peut souffrir ceux qui disent qu'il la faut observer à la rigueur[5] ; quoiqu'il fuie le tumulte des villes, et qu'il se communique peu, il n'est occupé, depuis le matin jusques au soir, qu'à faire parler de lui ; il aime les trophées et les victoires, mais il craint autant de voir un bon général à la tête de ses troupes qu'il aurait sujet de le craindre à la tête d'une armée ennemie. Il n'est, je crois, jamais arrivé qu'à lui d'être, en même temps, comblé de plus de richesses qu'un prince n'en saurait espérer, et accablé d'une pauvreté qu'un particulier ne pourrait soutenir.

Il aime à gratifier ceux qui le servent ; mais il paye aussi libéralement les assiduités ou plutôt l'oisiveté de ses courtisans, que les campagnes laborieuses de ses capitaines. Souvent il préfère un homme qui le déshabille[6] ou qui lui donne la serviette lorsqu'il se met à table, à un autre qui lui prend des villes ou lui gagne des batailles. Il ne croit pas que la grandeur souveraine doive être gênée dans la distribution des grâces, et, sans examiner si celui qu'il comble de biens est homme de mérite, il croit que son choix va le rendre tel : aussi lui a-t-on vu donner une petite pension à un homme qui avait fui deux lieues, et un beau gouvernement à un autre qui en avait fui quatre.

Il est magnifique, surtout dans ses bâtiments : il y a

---

1. Né en 1638, Louis XIV a régné de 1643 à 1715 ; 2. C'est-à-dire le despotisme ; 3. Le marquis de Barbezieux, cinquième fils de Louvois, fut ministre de la guerre à vingt-trois ans ; 4. Mme de Maintenon, née en 1635 ; 5. C'est-à-dire les jansénistes, défenseurs d'un catholicisme « rigoureux » ; 6. Au petit coucher.

plus de statues dans les jardins de son palais que de citoyens dans une grande ville. Sa garde est aussi forte que celle du prince devant qui tous les trônes se renversent[1]. Ses armées sont aussi nombreuses ; ses ressources, aussi grandes ; et ses finances, aussi inépuisables.

A Paris, le 7 de la lune de Maharram, 1713.

124. USBEK À RHÉDI, À VENISE

Quel peut être le motif de ces libéralités immenses que les princes versent sur leurs courtisans ? Veulent-ils se les attacher ? Ils leur sont déjà acquis autant qu'ils peuvent l'être, et d'ailleurs, s'ils acquièrent quelques-uns de leurs sujets en les achetant, il faut bien, par la même raison, qu'ils en perdent une infinité d'autres en les appauvrissant.

Quand je pense à la situation des princes, toujours entourés d'hommes avides et insatiables, je ne puis que les plaindre, et je les plains encore davantage lorsqu'ils n'ont pas la force de résister à des demandes toujours onéreuses à ceux qui ne demandent rien.

Je n'entends jamais parler de leurs libéralités, des grâces et des pensions qu'ils accordent, que je ne me livre à mille réflexions : une foule d'idées se présentent à mon esprit ; il me semble que j'entends publier cette ordonnance :

« Le courage infatigable de quelques-uns de nos sujets à nous demander des pensions ayant exercé sans relâche notre magnificence royale, nous avons enfin cédé à la multitude des requêtes qu'ils nous ont présentées, lesquelles ont fait jusques ici la plus grande sollicitation du Trône. Ils nous ont représenté[2] qu'ils n'ont point manqué, depuis notre avènement à la couronne, de se trouver à notre lever ; que nous les avons toujours vus sur notre passage immobiles comme des bornes ; et qu'ils se sont extrêmement élevés pour regarder sur les épaules les plus hautes Notre Sérénité. Nous avons même reçu plusieurs requêtes de la part de quelques personnes du beau sexe, qui nous ont supplié de faire attention qu'il est notoire qu'elles sont d'un entretien très difficile ; quelques-unes même, très surannées[3],

---

1. Le sophi, ou roi de Perse ; 2. *Représenter* : exposer avec mesure et fermeté. Cf. « faire des représentations » ; 3. *Surannées* : chargées d'années.

nous ont prié, en branlant la tête, de faire attention qu'elles ont fait l'ornement de la cour des rois nos prédécesseurs, et que, si les généraux de leurs armées ont rendu l'État redoutable par leurs faits militaires, elles n'ont point rendu la Cour moins célèbre par leurs intrigues. Ainsi, désirant traiter les suppliants avec bonté et leur accorder toutes leurs prières, nous avons ordonné ce qui suit :

« Que tout laboureur ayant cinq enfants retranchera journellement la cinquième partie du pain qu'il leur donne. Enjoignons aux pères de famille de faire la diminution, sur chacun d'eux, aussi juste que faire se pourra.

« Défendons expressément à tous ceux qui s'appliquent à la culture de leurs héritages, ou qui les ont donnés à titre de ferme, d'y faire aucune réparation, de quelque espèce qu'elle soit.

« Ordonnons que toutes personnes qui s'exercent à des travaux vils et mécaniques, lesquelles n'ont jamais été au lever de Notre Majesté, n'achètent désormais d'habits à eux, à leurs femmes et à leurs enfants, que de quatre en quatre ans; leur interdisons, en outre, très étroitement ces petites réjouissances qu'ils avaient coutume de faire dans leurs familles les principales fêtes de l'année.

« Et, d'autant que nous demeurons averti que la plupart des bourgeois de nos bonnes villes sont entièrement occupés à pourvoir à l'établissement[1] de leurs filles, lesquelles ne se sont rendues recommandables dans notre État que par une triste et ennuyeuse modestie, nous ordonnons qu'ils attendront à les marier jusqu'à ce qu'ayant atteint l'âge limité par les ordonnances, elles viennent à les y contraindre. Défendons à nos magistrats de pourvoir à l'éducation de leurs enfants[2]. »

A Paris, le 1ᵉʳ de la lune de Chalval, 1718.

74. USBEK À RICA, À ***

Il y a quelques jours qu'un homme de ma connaissance me dit : « Je vous ai promis de vous produire[3] dans les bonnes maisons de Paris; je vous mène à présent chez un grand seigneur qui est un des hommes du royaume qui représente le mieux. »

1. L'*établissement* : le mariage; 2. Cette ordonnance est un modèle d'humour anglais, d'une logique ironique et féroce poussée jusqu'à l'absurde; 3. *Produire* : conduire dans le monde.

« Que veut dire cela, Monsieur? Est-ce qu'il est plus poli, plus affable que les autres? — Non, me dit-il. — Ah! j'entends : il fait sentir à tous les instants la supériorité qu'il a sur tous ceux qui l'approchent. Si cela est, je n'ai que faire d'y aller : je la lui passe tout entière, et je prends condamnation[1]. »

Il fallut pourtant marcher, et je vis un petit homme si fier, il prit une prise de tabac avec tant de hauteur, il se moucha si impitoyablement, il cracha avec tant de flegme, il caressa ses chiens d'une manière si offensante pour les hommes, que je ne pouvais me lasser de l'admirer[2]. « Ah! bon Dieu! dis-je en moi-même, si lorsque j'étais à la cour de Perse, je représentais[3] ainsi, je représentais un grand sot! » Il aurait fallu, Rica, que nous eussions eu un bien mauvais naturel pour aller faire cent petites insultes à des gens qui venaient tous les jours chez nous nous témoigner leur bienveillance : ils savaient bien que nous étions au-dessus d'eux, et, s'ils l'avaient ignoré, nos bienfaits le leur auraient appris chaque jour. N'ayant rien à faire pour nous faire respecter, nous faisions tout pour nous rendre aimables : nous nous communiquions aux plus petits; au milieu des grandeurs, qui endurcissent toujours, ils nous trouvaient sensibles; ils ne voyaient que notre cœur au-dessus d'eux : nous descendions jusqu'à leurs besoins. Mais, lorsqu'il fallait soutenir la majesté du Prince dans les cérémonies publiques; lorsqu'il fallait faire respecter la Nation aux étrangers; lorsque, enfin, dans les occasions périlleuses, il fallait animer les soldats, nous remontions cent fois plus haut que nous n'étions descendus : nous ramenions la fierté sur notre visage, et l'on trouvait quelquefois que nous représentions assez bien.

De Paris, le 10 de la lune de Saphar, 1715.

88. USBEK À RHÉDI, À VENISE

A Paris règnent la liberté et l'égalité. La naissance, la vertu, le mérite même de la guerre, quelque brillant qu'il soit, ne sauve pas un homme de la foule dans laquelle il est

---

1. C'est-à-dire : j'avoue mes torts, je reconnais mon infériorité. Locution mondaine; 2. *Admirer* : regarder avec étonnement; 3. C'est-à-dire : si je faisais figure d'un tel personnage.

confondu. La jalousie des rangs y est inconnue. On dit que le premier de Paris est celui qui a les meilleurs chevaux à son carrosse.

Un grand seigneur est un homme qui voit le Roi, qui parle aux ministres, qui a des ancêtres, des dettes et des pensions. S'il peut, avec cela, cacher son oisiveté par un air empressé ou par un feint attachement pour les plaisirs, il croit être le plus heureux des hommes.

En Perse, il n'y a de grands que ceux à qui le Monarque donne quelque part au gouvernement. Ici, il y a des gens qui sont grands par leur naissance; mais ils sont sans crédit[1]. Les rois font comme ces ouvriers habiles qui, pour exécuter leurs ouvrages, se servent toujours des machines les plus simples[2].

La Faveur est la grande Divinité des Français. Le Ministre est le grand-prêtre, qui lui offre bien des victimes. Ceux qui l'entourent ne sont point habillés de blanc : tantôt sacrificateurs et tantôt sacrifiés, ils se dévouent[3] eux-mêmes à leur idole avec tout le Peuple.

A Paris, le 9 de la lune de Gemmadi 2e, 1715.

98. USBEK À IBBEN, À SMYRNE

Il n'y a point de pays au monde où la Fortune soit si inconstante que dans celui-ci. Il arrive tous les dix ans des révolutions qui précipitent le riche dans la misère et enlèvent le pauvre, avec des ailes rapides, au comble des richesses. Celui-ci est étonné de sa pauvreté; celui-là l'est de son abondance. Le nouveau riche admire la sagesse de la Providence; le pauvre, l'aveugle fatalité du Destin.

Ceux qui lèvent les tributs[4] nagent au milieu des trésors : parmi eux, il y a peu de Tantales[5]. Ils commencent pourtant ce métier par la dernière misère; ils sont méprisés comme de la boue pendant qu'ils sont pauvres; quand ils sont riches, on les estime assez; aussi ne négligent-ils rien pour acquérir de l'estime.

Ils sont à présent dans une situation bien terrible. On vient d'établir une chambre qu'on appelle *de Justice*[6] parce

---

1. Louis XIV écarta systématiquement les grands des hauts emplois; 2. Ce sont les bourgeois; 3. *Se dévouer :* au sens religieux, faire le sacrifice de soi-même pour apaiser les dieux; 4. Fermiers et partisans; 5. *Tantale*, aux Enfers, était en proie à une soif dévorante. Les traitants, au contraire, réalisent leurs ambitions; 6. Établie en 1176, pour apurer les comptes des financiers. Voir les affaires de Bourvalais et de Crozat, dans les *Mémoires* de Mathieu Marais.

qu'elle va leur ravir tout leur bien. Ils ne peuvent ni détourner ni cacher leurs effets[1] : car on les oblige de les déclarer au juste, sous peine de la vie. Ainsi on les fait passer par un défilé bien étroit : je veux dire entre la vie et l'argent. Pour comble de fortune, il y a un ministre, connu par son esprit[2], qui les honore de ses plaisanteries et badine sur toutes les délibérations du Conseil. On ne trouve pas tous les jours des ministres disposés à faire rire le Peuple, et l'on doit savoir bon gré à celui-ci de l'avoir entrepris.

Le corps des laquais est plus respectable en France qu'ailleurs; c'est un séminaire de grands seigneurs : il remplit le vide des autres états. Ceux qui le composent prennent la place des grands malheureux, des magistrats ruinés, des gentilshommes tués dans les fureurs de la guerre; et, quand ils ne peuvent pas suppléer[3] par eux-mêmes, ils relèvent toutes les grandes maisons par le moyen de leurs filles, qui sont comme une espèce de fumier qui engraisse les terres montagneuses et arides[4].

Je trouve, Ibben, la Providence admirable dans la manière dont elle a distribué les richesses : si elle ne les avait accordées qu'aux gens de bien, on ne les aurait pas assez distinguées de la vertu, et on n'en aurait plus senti tout le néant. Mais, quand on examine qui sont les gens qui en sont les plus chargés, à force de mépriser les riches, on vient enfin à mépriser les richesses.

A Paris, le 26 de la lune de Maharram, 1717.

III. — LA RELIGION

29. RICA À IBBEN, À SMYRNE

Le Pape est le chef des chrétiens. C'est une vieille idole qu'on encense par habitude. Il était autrefois redoutable aux princes mêmes : car il les déposait[5] aussi facilement que

---

1. *Effets :* valeurs négociables, billets à ordre; **2.** Le duc de Noailles (1678-1766), homme de guerre et homme d'État, lettré et spirituel; **3.** *Suppléer :* au sens absolu, boucher les trous; **4.** Ce que Mme de Sévigné appelait « fumer ses terres ». La noblesse hautaine est à sec; **5.** Allusion aux luttes des empereurs d'Allemagne contre la papauté au moyen âge.

nos magnifiques sultans déposent les rois d'Irimette et de Géorgie[1]. Mais on ne le craint plus. Il se dit successeur d'un des premiers chrétiens, qu'on appelle saint Pierre, et c'est certainement une riche succession : car il a des trésors immenses et un grand pays sous sa domination.

Les évêques sont des gens de loi qui lui sont subordonnés et ont, sous son autorité, deux fonctions bien différentes : quand ils sont assemblés[2], ils font, comme lui, des articles de foi; quand ils sont en particulier, ils n'ont guère d'autre fonction que de dispenser d'accomplir la Loi. Car tu sauras que la religion chrétienne est chargée d'une infinité de pratiques très difficiles, et, comme on a jugé qu'il est moins aisé de remplir ces devoirs que d'avoir des évêques qui en dispensent, on a pris ce dernier parti pour l'utilité publique. De sorte que, si l'on ne veut pas faire le Rhamazan[3]; si on ne veut pas s'assujettir aux formalités des mariages; si on veut rompre ses vœux[4]; si on veut se marier contre les défenses de la Loi; quelquefois même, si on veut revenir contre son serment : on va à l'Évêque ou au Pape, qui donne aussitôt la dispense.

Les évêques ne font pas des articles de foi de leur propre mouvement. Il y a un nombre infini de docteurs, la plupart dervis[5], qui soulèvent entre eux mille questions nouvelles sur la Religion. On les laisse disputer[6] longtemps, et la guerre dure jusqu'à ce qu'une décision vienne la terminer.

Aussi puis-je t'assurer qu'il n'y a jamais eu de royaume où il y ait eu tant de guerres civiles que dans celui du Christ [...].

A Paris, le 4 de la lune de Chalval, 1712.

46. USBEK À RHÉDI, À VENISE

Je vois ici des gens qui disputent sans fin sur la religion, mais il semble qu'ils combattent en même temps à qui l'observera le moins.

Non seulement ils ne sont pas meilleurs chrétiens, mais

---

1. Vassaux du shah de Perse; 2. Dans les conciles; 3. *Rhamazan* ou *Rhamadan :* mois consacré au jeûne chez les Musulmans; c'est évidemment le carême que Rica désigne ainsi; 4. Les vœux religieux; 5. *Dervis* ou *derviches :* moines musulmans : ce sont, bien entendu, les ordres religieux chrétiens qui sont visés ici; 6. *Disputer :* discuter.

même meilleurs citoyens; et c'est ce qui me touche : car, dans quelque religion qu'on vive, l'observation des lois, l'amour pour les hommes, la piété envers les parents, sont toujours les premiers actes de religion.

En effet, le premier objet d'un homme religieux ne doit-il pas être de plaire à la divinité qui a établi la religion qu'il professe ? Mais le moyen le plus sûr pour y parvenir est sans doute d'observer les règles de la société et les devoirs de l'humanité. Car, en quelque religion qu'on vive, dès qu'on en suppose une, il faut bien que l'on suppose[1] aussi que Dieu aime les hommes, puisqu'il établit une religion pour les rendre heureux; que s'il aime les hommes, on est assuré de lui plaire en les aimant aussi, c'est-à-dire en exerçant envers eux tous les devoirs de la charité et de l'humanité, et en ne violant point les lois sous lesquelles ils vivent.

Par là on est bien plus sûr de plaire à Dieu qu'en observant telle ou telle cérémonie; car les cérémonies n'ont point un degré de bonté par elles-mêmes; elles ne sont bonnes qu'avec égard, et dans la supposition que Dieu les a commandées; mais c'est la matière d'une grande discussion : on peut facilement s'y tromper, car il faut choisir les cérémonies d'une religion entre celles de deux mille.

Un homme faisait tous les jours à Dieu cette prière : « Seigneur, je n'entends rien dans les disputes que l'on fait sans cesse à votre sujet; je voudrais vous servir selon votre volonté; mais chaque homme que je consulte veut que je vous serve à la sienne. Lorsque je veux vous faire ma prière, je ne sais en quelle langue je dois vous parler. Je ne sais pas non plus en quelle posture je dois me mettre : l'un dit que je dois vous prier debout; l'autre veut que je sois assis; l'autre exige que mon corps porte sur mes genoux. Ce n'est pas tout : il y en a qui prétendent que je dois me laver tous les matins avec de l'eau froide. Il m'arriva l'autre jour de manger un lapin dans un caravansérai[2]. Trois hommes qui étaient auprès de là me firent trembler; ils me soutinrent tous trois que je vous avais grièvement offensé : l'un[3] parce que cet animal était immonde; l'autre[4], parce qu'il était étouffé; l'autre enfin[5], parce qu'il

---

1. *Supposer :* au sens propre, mettre à la base, comme principe fondamental; **2.** *Caravansérai :* abri réservé aux caravanes; le mot, transcrit du persan, a encore, au XVIIIe siècle, son orthographe « orientale »; **3.** Un Juif (M.); **4.** Un Turc (M.); **5.** Un Arménien (M.).

n'était pas poisson. Un brachmane qui passait par là, et que je pris pour juge, me dit : « Ils ont tort, car apparemment vous n'avez pas tué vous-même cet animal. — Si fait, lui dis-je. — Ah vous avez commis une action abominable[1], et que Dieu ne vous pardonnera jamais, me dit-il d'une voix sévère; que savez-vous si l'âme de votre père n'était pas passée dans cette bête? » Toutes ces choses, Seigneur, me jettent dans un embarras inconcevable : je ne puis remuer la tête que je ne sois menacé de vous offenser; cependant je voudrais vous plaire et employer à cela la vie que je tiens de vous. Je ne sais si je me trompe; mais je crois que le meilleur moyen pour y parvenir est de vivre en bon citoyen dans la société où vous m'avez fait naître et en bon père dans la famille que vous m'avez donnée[2].

A Paris, le 8 de la lune de Chahban, 1713.

57. USBEK À RHÉDI, À VENISE

[...] Les dévots entretiennent ici un nombre innombrable de dervis[3]. Ces dervis font trois vœux : d'obéissance, de pauvreté et de chasteté. On dit que le premier est le mieux observé de tous; quant au second, je te réponds qu'il ne l'est point; je te laisse à juger du troisième.

Mais, quelque riches que soient ces dervis, ils ne quittent jamais la qualité de pauvres; notre glorieux sultan renoncerait plutôt à ses magnifiques et sublimes titres. Ils ont raison : car ce titre de pauvres les empêche de l'être.

Les médecins et quelques-uns de ces dervis qu'on appelle *confesseurs*[4] sont toujours ici ou trop estimés ou trop méprisés; cependant on dit que les héritiers s'accommodent mieux des médecins que des confesseurs[5].

Je fus l'autre jour dans un couvent de ces dervis. Un d'entre eux, vénérable par ses cheveux blancs, m'accueillit fort honnêtement; il me fit voir toute la maison; nous entrâmes dans le jardin, et nous nous mîmes à discourir. « Mon père, lui dis-je, quel emploi avez-vous dans la communauté? — Monsieur, me répondit-il avec un air très

---

1. *Abominable* : sens religieux : dont on doit se détourner comme d'un mauvais présage; **2.** La lettre est une apologie de la religion naturelle; **3.** Cf. p. 29, note 5; **4.** Ils sont aussi directeurs de conscience; **5.** Les confesseurs sont captateurs de testaments.

content de ma question, je suis casuiste[1]. — Casuiste ?
repris-je : depuis que je suis en France, je n'ai ouï parler
de cette charge. — Quoi! vous ne savez pas ce que c'est
qu'un casuiste ? Eh bien! écoutez : je vais vous en donner
une idée qui ne vous laissera rien à désirer. Il y a deux sortes
de péchés : de mortels, qui excluent absolument du Paradis ;
et de véniels, qui offensent Dieu, à la vérité, mais ne l'irritent
pas au point de nous priver de la béatitude[2]. Or tout notre
art consiste à bien distinguer ces deux sortes de péchés :
car, à la réserve de quelques libertins[3], tous les chrétiens
veulent gagner le Paradis ; mais il n'y a guère personne qui
ne le veuille gagner à meilleur marché qu'il est possible.
Quand on connaît bien les péchés mortels, on tâche de ne
pas commettre de ceux-là, et l'on fait son affaire. Il y a des
hommes qui n'aspirent pas à une si grande perfection, et,
comme ils n'ont point d'ambition, ils ne se soucient pas
des premières places. Aussi entrent-ils en Paradis le plus
juste qu'ils peuvent ; pourvu qu'ils y soient, cela leur suffit :
leur but est de n'en faire ni plus ni moins. Ce sont des gens
qui ravissent[4] le Ciel plutôt qu'ils ne l'obtiennent, et qui
disent à Dieu : « Seigneur, j'ai accompli les conditions à la
rigueur[5] ; vous ne pouvez vous empêcher de tenir vos promesses : comme je n'en ai pas fait plus que vous n'en avez
demandé, je vous dispense de m'en accorder plus que vous
n'en avez promis. » Nous sommes donc des gens nécessaires,
Monsieur. Ce n'est pas tout pourtant ; vous allez bien voir
autre chose. L'action ne fait pas le crime, c'est la connaissance de celui qui la commet : celui qui fait un mal, tandis
qu'il peut croire que ce n'en est pas un, est en sûreté de
conscience ; et, comme il y a un nombre infini d'actions
équivoques[6], un casuiste peut leur donner un degré de bonté
qu'elles n'ont point, en les déclarant bonnes ; et, pourvu
qu'il puisse persuader qu'elles n'ont pas de venin, il le leur
ôte tout entier.

« Je vous dis ici le secret d'un métier où j'ai vieilli ; je vous
en fais voir les raffinements : il y a un tour à donner à tout,
même aux choses qui en paraissent les moins susceptibles.
— Mon père, lui dis-je, cela est fort bon ; mais comment

---

1. Il étudie les cas de conscience et les résout au mieux du pécheur ; 2. *La
béatitude* éternelle ; 3. *Libertins :* libres penseurs ; 4. Volent le ciel ; 5. C'est-
à-dire avec une exactitude parfaite ; 6. *Équivoques :* douteuses (cf. Pascal,
Provinciales).

vous accommodez-vous avec le Ciel ? Si le sophi avait à
sa cour un homme qui fît à son égard ce que vous faites
contre votre Dieu, qui mît de la différence entre ses ordres,
et qui apprît à ses sujets dans quel cas ils doivent les exécuter, et dans quel autre ils peuvent les violer, il le ferait
empaler sur l'heure. » Je saluai mon dervis, et le quittai
sans attendre sa réponse.

A Paris, le 23 de la lune de Maharram, 1714.

75. USBEK À RHÉDI, À VENISE

Il faut que je t'avoue : je n'ai point remarqué chez les
chrétiens cette persuasion vive de leur religion qui se trouve
parmi les musulmans. Il y a bien loin chez eux de la profession[1] à la croyance, de la croyance à la conviction, de la
conviction à la pratique. La religion est moins un sujet de
sanctification qu'un sujet de disputes qui appartient à tout
le monde : les gens de cour, les gens de guerre, les femmes
même s'élèvent contre les ecclésiastiques, et leur demandent
de leur prouver ce qu'ils sont résolus de ne pas croire. Ce
n'est pas qu'ils se soient déterminés par raison, et qu'ils
aient pris la peine d'examiner la vérité ou la fausseté de cette
religion qu'ils rejettent : ce sont des rebelles qui ont senti le
joug, et l'ont secoué avant de l'avoir connu. Aussi ne sont-ils
pas plus fermes dans leur incrédulité que dans leur foi ; ils
vivent dans un flux et reflux qui les porte sans cesse de l'une
à l'autre. Un d'eux me disait un jour : « Je crois l'immor-
talité de l'âme par semestre ; mes opinions dépendent absolument de la constitution de mon corps : selon que j'ai plus
ou moins d'esprits animaux[2], que mon estomac digère bien
ou mal, que l'air que je respire est subtil ou grossier, que les
viandes[3] dont je me nourris sont légères ou solides, je suis
spinosiste[4], socinien[5], catholique, impie, ou dévot. Quand
le médecin est auprès de mon lit, le confesseur me trouve
à son avantage. Je sais bien empêcher la religion de m'affliger
quand je me porte bien ; mais je lui permets de me consoler
quand je suis malade : lorsque je n'ai plus rien à espérer

---

1. *Profession* : déclaration publique ; 2. Au sens de Descartes, ce sont
des esprits très subtils qui portent du cerveau et du cœur la vie jusqu'aux
membres ; 3. *Viandes* : aliments, sens général (cf. lat. *vivenda*) ; 4. Le Hol-
landais Spinosa (1632-1677) a édifié un système panthéiste et matérialiste ;
5. L'Italien Socin (fin du XVIᵉ siècle) rejette les mystères et la Trinité.

d'un côté, la religion se présente et me gagne par ses promesses ; je veux m'y livrer, et mourir du côté de l'espérance. »

Il y a longtemps que les princes chrétiens affranchirent tous les esclaves de leurs États parce que, disaient-ils, le christianisme rend tous les hommes égaux. Il est vrai que cet acte de religion leur était très utile : ils abaissaient par là les seigneurs, de la puissance desquels ils retiraient le bas peuple. Ils ont ensuite fait des conquêtes dans des pays où ils ont vu qu'il leur était avantageux d'avoir des esclaves ; ils ont permis d'en acheter et d'en vendre, oubliant ce principe de religion qui les touchait tant. Que veux-tu que je te dise ? Vérité dans un temps, erreur dans un autre. Que ne faisons-nous comme les chrétiens ? Nous sommes bien simples de refuser des établissements et des conquêtes faciles dans des climats heureux[1], parce que l'eau n'y est pas assez pure pour nous laver selon les principes du saint Alcoran !

Je rends grâces au Dieu tout-puissant, qui a envoyé Hali[2], son grand prophète, de ce que je professe une religion qui se fait préférer à tous les intérêts humains, et qui est pure comme le Ciel, dont elle est descendue.

A Paris, le 13 de la lune de Saphar, 1715.

83. USBEK À RHÉDI, À VENISE

S'il y a un Dieu, mon cher Rhédi, il faut nécessairement qu'il soit juste ; car, s'il ne l'était pas, il serait le plus mauvais et le plus imparfait de tous les êtres.

La justice est un rapport de convenance qui se trouve réellement entre deux choses : ce rapport est toujours le même, quelque être qui le considère, soit que ce soit Dieu, soit que ce soit un ange, ou enfin que ce soit un homme[3].

Il est vrai que les hommes ne voient pas toujours ces rapports ; souvent même lorsqu'ils les voient, ils s'en éloignent, et leur intérêt est toujours ce qu'ils voient le mieux. La justice élève la voix ; mais elle a peine à se faire entendre dans le tumulte des passions.

Les hommes peuvent faire des injustices, parce qu'ils ont intérêt de les commettre, et qu'ils préfèrent leur propre

---

1. Les Mahométans ne se soucient point de prendre Venise, parce qu'ils n'y trouveraient point d'eau pour leurs purifications (M.) ; 2. *Hali :* cousin et gendre de Mahomet ; 3. Définition un peu abstraite.

universal Natural law

satisfaction à celle des autres. C'est toujours par un retour sur eux-mêmes qu'ils agissent : nul n'est mauvais gratuitement, il faut qu'il y ait une raison qui détermine, et cette raison est toujours une raison d'intérêt.

Mais il n'est pas possible que Dieu fasse jamais rien d'injuste · dès qu'on suppose qu'il voit la justice, il faut nécessairement qu'il la suive, car, comme il n'a besoin de rien et qu'il se suffit à lui-même, il serait le plus méchant de tous les êtres, puisqu'il le serait sans intérêt.

Ainsi, quand il n'y aurait pas de Dieu, nous devrions toujours aimer la justice, c'est-à-dire faire nos efforts pour ressembler à cet être dont nous avons une si belle idée, et qui, s'il existait, serait nécessairement juste. Libres que nous serions du joug de la religion, nous ne devrions pas l'être du joug de l'équité.

Voilà, Rhédi, ce qui m'a fait penser que la justice est éternelle, et ne dépend point des conventions humaines ; et quand elle en dépendrait, ce serait une vérité terrible qu'il faudrait se dérober à soi-même [...].

Nous sommes entourés d'hommes plus forts que nous ; ils peuvent nous nuire de mille manières différentes ; les trois quarts du temps ils peuvent le faire impunément. Quel repos pour nous de savoir qu'il y a dans le cœur de tous ces hommes un principe intérieur qui combat en notre faveur, et nous met à couvert de leurs entreprises !

Sans cela nous devrions être dans une frayeur continuelle ; nous passerions devant les hommes comme devant les lions, et nous ne serions jamais assurés un moment de notre bien, ni de notre honneur et de notre vie.

Toutes ces pensées m'animent contre ces docteurs[1] qui représentent Dieu comme un être qui fait un exercice tyrannique de sa puissance ; qui le font agir d'une manière dont nous ne voudrions pas agir nous-mêmes, de peur de l'offenser ; qui le chargent de toutes les imperfections qu'il punit en nous, et, dans leurs opinions contradictoires, le représentent tantôt comme un être mauvais, tantôt comme un être qui hait le mal et le punit.

Quand un homme s'examine, quelle satisfaction pour lui de trouver qu'il a le cœur juste ! Ce plaisir, tout sévère qu'il est, doit le ravir : il voit son être autant au-dessus de ceux

1. Les théologiens.

qui ne l'ont pas, qu'il se voit au-dessus des tigres et des ours. Oui, Rhédi, si j'étais sûr de suivre toujours inviolablement cette équité que j'ai devant les yeux, je me croirais le premier des hommes.

De Paris, le 1er de la lune de Gemmadi 1er, 1715.

85. USBEK À MIRZA, À ISPAHAN[1]

Tu sais, Mirza, que quelques ministres de Cha-Soliman avaient formé le dessein d'obliger tous les Arméniens de Perse de quitter le royaume ou de se faire mahométans, dans la pensée que notre empire serait toujours pollué, tandis qu'il garderait dans son sein ces infidèles.

C'était fait de la grandeur persane si, dans cette occasion, l'aveugle dévotion avait été écoutée.

On ne sait comment la chose manqua : ni ceux qui firent la proposition, ni ceux qui la rejetèrent, n'en connurent les conséquences; le hasard fit l'office de la raison et de la politique et sauva l'empire d'un péril plus grand que celui qu'il aurait pu courir de la perte d'une bataille et de la prise de deux villes.

En proscrivant les Arméniens, on pensa détruire en un seul jour tous les négociants et presque tous les artisans du royaume. Je suis sûr que le grand Cha-Abas aurait mieux aimé se faire couper les deux bras que de signer un ordre pareil, et qu'en envoyant au Mogol et aux autres rois des Indes ses sujets les plus industrieux, il aurait cru leur donner la moitié de ses États.

Les persécutions que nos mahométans zélés ont faites aux Guèbres[2] les ont obligés de passer en foule dans les Indes, et ont privé la Perse de cette nation, si appliquée au labourage, et qui seule, par son travail, était en état de vaincre la stérilité de nos terres.

Il ne restait à la dévotion qu'un second coup à faire : c'était de ruiner l'industrie; moyennant quoi l'empire tombait de lui-même, et avec lui, par une suite nécessaire, cette même religion qu'on voulait rendre si florissante.

---

1. Il faut tout transposer dans cette lettre et comprendre que Perse = France. Cha-Soliman = Louis XIV. Arméniens et Guèbres = Protestants. Mahométans = catholiques. Le Mogol = la Prusse; 2. *Guèbres :* sectateurs de Zoroastre; ils adorent le feu; on les trouve encore aux Indes sous le nom de *Parsis.*

S'il faut raisonner sans prévention, je ne sais, Mirza, s'il n'est pas bon que dans un État il y ait plusieurs religions.

On remarque que ceux qui vivent dans des religions tolérées se rendent ordinairement plus utiles à leur patrie que ceux qui vivent dans la religion dominante, parce que, éloignés des honneurs, ne pouvant se distinguer que par leur opulence et leurs richesses, ils sont portés à en acquérir par leur travail, et à embrasser les emplois de la société les plus pénibles.

D'ailleurs, comme toutes les religions contiennent des préceptes utiles à la société, il est bon qu'elles soient observées avec zèle. Or qu'y a-t-il de plus capable d'animer ce zèle que leur multiplicité ?

Ce sont des rivales qui ne se pardonnent rien. La jalousie descend jusqu'aux particuliers : chacun se tient sur ses gardes, et craint de faire des choses qui déshonoreraient son parti, et l'exposeraient aux mépris et aux censures impardonnables du parti contraire.

Aussi a-t-on toujours remarqué qu'une secte nouvelle, introduite dans un État, était le moyen le plus sûr pour corriger tous les abus de l'ancienne.

On a beau dire qu'il n'est pas de l'intérêt du prince de souffrir plusieurs religions dans son État : quand toutes les sectes du monde viendraient s'y rassembler, cela ne lui porterait aucun préjudice, parce qu'il n'y en a aucune qui ne prescrive l'obéissance et ne prêche la soumission.

J'avoue que les histoires sont remplies de guerres de religion. Mais, qu'on y prenne bien garde : ce n'est point la multiplicité des religions qui a produit ces guerres, c'est l'esprit d'intolérance qui animait celle qui se croyait la dominante; c'est cet esprit de prosélytisme[1] que les Juifs ont pris des Égyptiens, et qui, d'eux, est passé, comme une maladie épidémique[2] et populaire, aux mahométans et aux chrétiens; c'est, enfin, cet esprit de vertige dont les progrès ne peuvent être regardés que comme une éclipse entière de la raison humaine.

Car enfin, quand il n'y aurait pas de l'inhumanité à affliger la conscience des autres; quand il n'en résulterait aucun des mauvais effets qui en germent à milliers, il faudrait être fou

---

1. *Prosélytisme* : zèle à convertir les autres ; **2.** *Épidémique* : qui règne sur le peuple, « populaire ». Cette lettre est un plaidoyer énergique pour la tolérance religieuse.

pour s'en aviser. Celui qui veut me faire changer de religion ne le fait sans doute que parce qu'il ne changerait pas
la sienne, quand on voudrait l'y forcer : il trouve donc
étrange que je ne fasse pas une chose qu'il ne ferait pas
lui-même, peut-être pour l'empire du monde.

A Paris, le 26 de la lune de Gemmadi 1er, 1715.

IV. — LA DÉMOGRAPHIE[1]

---

116. USBEK AU MÊME [RHÉDI]

Nous avons, jusques ici, parlé des pays mahométans et
cherché la raison pourquoi ils sont moins peuplés que ceux
qui étaient soumis à la domination des Romains. Examinons
à présent ce qui a produit cet effet chez les chrétiens.

Le divorce était permis dans la religion païenne, et il fut
défendu aux chrétiens. Ce changement, qui parut d'abord
de si petite conséquence, eut insensiblement des suites
terribles, et telles qu'on peut à peine les croire.

On ôta non seulement toute la douceur du mariage, mais
aussi l'on donna atteinte à sa fin : en voulant resserrer ses
nœuds, on les relâcha, et, au lieu d'unir les cœurs, comme
on le prétendait, on les sépara pour jamais.

Dans une action si libre, et où le cœur doit avoir tant de
part, on mit la gêne, la nécessité et la fatalité du Destin
même. On compta pour rien les dégoûts, les caprices et
l'insociabilité des humeurs ; on voulut fixer le cœur, c'est-
à-dire ce qu'il y a de plus variable et de plus inconstant
dans la nature ; on attacha sans retour et sans espérance des
gens accablés l'un de l'autre et presque toujours mal assortis ;
et l'on fit comme ces tyrans qui faisaient lier des hommes
vivants à des corps morts.

Rien ne contribuait plus à l'attachement mutuel que la
faculté du divorce : un mari et une femme étaient portés à

---

1. Cette science était encore à ses débuts : le nom même sous lequel on la
désigne ici n'existait pas encore.

soutenir patiemment les peines domestiques, sachant qu'ils étaient maîtres de les faire finir, et ils gardaient souvent ce pouvoir en main toute leur vie sans en user, par cette seule considération qu'ils étaient libres de le faire.

Il n'en est pas de même des chrétiens, que leurs peines présentes désespèrent pour l'avenir : ils ne voient dans les désagréments du mariage que leur durée, et, pour ainsi dire, leur éternité. De là viennent les dégoûts, les discordes, les mépris, et c'est autant de perdu pour la postérité. A peine a-t-on trois ans de mariage qu'on en néglige l'essentiel; on passe ensemble trente ans de froideur; il se forme des séparations intestines aussi fortes et peut-être plus pernicieuses que si elles étaient publiques; chacun vit et reste de son côté, et tout cela au préjudice des races futures. [...]

Si, de deux personnes ainsi liées, il y en a une qui n'est pas propre au dessein de la Nature et à la propagation de l'Espèce, soit par son tempérament, soit par son âge, elle ensevelit l'autre avec elle et la rend aussi inutile qu'elle l'est elle-même.

Il ne faut donc pas s'étonner si l'on voit chez les chrétiens tant de mariages fournir un si petit nombre de citoyens. [...]

A Paris, le 19 de la lune de Chahban, 1718.

117. USBEK AU MÊME

La prohibition du divorce n'est pas la seule cause de la dépopulation des pays chrétiens. [...]

Je parle des prêtres et des dervis[1] de l'un et de l'autre sexe, qui se vouent à une continence éternelle : c'est chez les chrétiens la vertu par excellence; en quoi je ne les comprends pas, ne sachant ce que c'est qu'une vertu dont il ne résulte rien.

Je trouve que leurs docteurs se contredisent manifestement quand ils disent que le mariage est saint, et que le célibat, qui lui est opposé, l'est encore davantage : sans compter qu'en fait de préceptes et de dogmes fondamentaux, le bien est toujours le mieux.

Le nombre de ces gens faisant profession de célibat est prodigieux. Les pères y condamnaient autrefois les enfants dès le berceau; aujourd'hui ils s'y vouent eux-mêmes dès

---

1. *Dervis* : cf. p. 29, note 5.

l'âge de quatorze ans[1] : ce qui revient à peu près à la même chose.

Ce métier de continence a anéanti plus d'hommes que les pestes et les guerres les plus sanglantes n'ont jamais fait. On voit dans chaque maison religieuse une famille éternelle, où il ne naît personne, et qui s'entretient aux dépens de toutes les autres. Ces maisons sont toujours ouvertes, comme autant de gouffres où s'ensevelissent les races futures.

Cette politique est bien différente de celle des Romains, qui établissaient des lois pénales contre ceux qui se refusaient aux lois du mariage, et voulaient jouir d'une liberté si contraire à l'utilité publique.

Je ne te parle ici que des pays catholiques. Dans la religion protestante, tout le monde est en droit de faire des enfants : elle ne souffre ni prêtres ni dervis; et si, dans l'établissement de cette religion qui ramenait tout aux premiers temps, ses fondateurs n'avaient été accusés sans cesse d'intempérance[2], il ne faut pas douter qu'après avoir rendu la pratique du mariage universelle, ils n'en eussent encore adouci le joug, et achevé d'ôter toute la barrière qui sépare, en ce point, le Nazaréen et Mahomet[3].

Mais, quoi qu'il en soit, il est certain que la religion donne aux protestants un avantage infini sur les catholiques.

J'ose le dire : dans l'état présent où est l'Europe, il n'est pas possible que la religion catholique y subsiste cinq cents ans.

Avant l'abaissement de la puissance d'Espagne, les catholiques étaient beaucoup plus forts que les protestants. Ces derniers sont peu à peu parvenus à un équilibre. Les protestants deviendront tous les jours plus riches et plus puissants, et les catholiques plus faibles.

Les pays protestants doivent être et sont réellement plus peuplés que les catholiques. D'où il suit, premièrement, que les tributs y sont plus considérables, parce qu'ils augmentent à proportion du nombre de ceux qui les payent; secondement, que les terres y sont mieux cultivées; enfin, que le commerce y fleurit davantage, parce qu'il y a plus de gens qui ont une fortune à faire, et qu'avec plus de besoins on y a plus de ressources pour les remplir. Quand il n'y a

---

1. C'est à seize ans, selon les canons du concile de Trente. qu'on pouvait entrer dans les ordres ou se consacrer à l'état ecclésiastique; 2. Accusation portée contre Luther; 3. Jésus-Christ et Mahomet : monogamie et polygamie.

que le nombre de gens suffisants pour la culture des terres, il faut que le commerce périsse; et lorsqu'il n'y a que celui qui est nécessaire pour entretenir le commerce, il faut que la culture des terres manque : c'est-à-dire il faut que tous les deux tombent en même temps, parce que l'on ne s'attache jamais à l'un que ce ne soit aux dépens de l'autre.

Quant aux pays catholiques, non seulement la culture des terres y est abandonnée, mais même l'industrie[1] y est pernicieuse : elle ne consiste qu'à apprendre cinq ou six mots d'une langue morte[2]. Dès qu'un homme a cette provision par devers lui, il ne doit plus s'embarrasser de sa fortune : il trouve dans le cloître une vie tranquille, qui, dans le monde, lui aurait coûté des sueurs et des peines.

Ce n'est pas tout : les dervis ont en leurs mains presque toutes les richesses de l'État; c'est une société de gens avares[3], qui prennent toujours et ne rendent jamais : ils accumulent sans cesse des revenus pour acquérir des capitaux. Tant de richesses tombent, pour ainsi dire, en paralysie[4] : plus de circulation, plus de commerce, plus d'arts, plus de manufactures.

Il n'y a point de prince protestant qui ne lève sur ses peuples beaucoup plus d'impôts que le Pape n'en lève sur ses sujets; cependant ces derniers sont pauvres, pendant que les autres vivent dans l'opulence. Le commerce ranime tout chez les uns, et le monachisme[5] porte la mort partout chez les autres[6].

A Paris, le 26 de la lune de Chahban, 1718.

V. — LES TROGLODYTES[7]

II. USBEK À MIRZA[8]

[...] Il y a de certaines vérités qu'il ne suffit pas de persuader, mais qu'il faut encore faire sentir : telles sont les vérités

---

1. *Industrie* : activité (sens du latin *industria*); 2. Le latin; 3. *Avare* : avide (sens du lat. *avarus*); 4. Ce sont des biens de mainmorte; 5. *Monachisme* : régime des moines et des couvents; 6. Mme de Staël, Michelet, reprendront cette thèse : supériorité des pays protestants sur les pays catholiques; 7. *Troglodytes* : mot grec signifiant : *qui se glissent dans les grottes*. Les Anciens connaissaient un peuple troglodyte du côté de l'Éthiopie; 8. Veut dire : fils de prince.

morality is experienced

de morale. Peut-être que ce morceau d'histoire te touchera plus qu'une philosophie subtile.

Il y avait en Arabie un petit peuple, appelé Troglodyte, qui descendait de ces anciens Troglodytes qui, si nous en croyons les historiens, ressemblaient plus à des bêtes qu'à des hommes. Ceux-ci n'étaient point si contrefaits, ils n'étaient point velus comme des ours, ils ne sifflaient point, ils avaient deux yeux; mais ils étaient si méchants et si féroces, qu'il n'y avait parmi eux aucun principe d'équité ni de justice.

Ils avaient un roi d'une origine étrangère, qui, voulant corriger la méchanceté de leur naturel, les traitait sévèrement; mais ils conjurèrent[1] contre lui, le tuèrent, et exterminèrent toute la famille royale.

Le coup étant fait, ils s'assemblèrent pour choisir un gouvernement; et, après bien des discussions, ils créèrent des magistrats. Mais à peine les eurent-ils élus, qu'ils leur devinrent insupportables; et ils les massacrèrent encore.

Ce peuple, libre de ce nouveau joug, ne consulta plus que son naturel sauvage. Tous les particuliers convinrent qu'ils n'obéiraient plus à personne; que chacun veillerait uniquement à ses intérêts, sans consulter ceux des autres.

Cette résolution unanime flattait extrêmement tous les particuliers. Ils disaient : « Qu'ai-je affaire d'aller me tuer à travailler pour des gens dont je ne me soucie point? Je penserai uniquement à moi. Je vivrai heureux : que m'importe que les autres le soient? Je me procurerai tous mes besoins; et, pourvu que je les aie, je ne me soucie point que tous les autres Troglodytes soient misérables. »

On était dans le mois où l'on ensemence les terres; chacun dit : « Je ne labourerai mon champ que pour qu'il me fournisse le blé qu'il me faut pour me nourrir; une plus grande quantité me serait inutile : je ne prendrai point de la peine pour rien. »

Les terres de ce petit royaume n'étaient pas de même nature : il y en avait d'arides et de montagneuses, et d'autres qui, dans un terrain bas, étaient arrosées de plusieurs ruisseaux. Cette année la sécheresse fut très grande, de manière que les terres qui étaient dans les lieux élevés manquèrent absolument, tandis que celles qui purent être

---

1. *Conjurer* : conspirer.

arrosées furent très fertiles. Ainsi les peuples des montagnes périrent presque tous de faim par la dureté des autres, qui leur refusèrent de partager la récolte.

L'année d'ensuite fut très pluvieuse; les lieux élevés se trouvèrent d'une fertilité extraordinaire, et les terres basses furent submergées. La moitié du peuple cria une seconde fois famine; mais ces misérables trouvèrent des gens aussi durs qu'ils l'avaient été eux-mêmes.

Un des principaux habitants avait une femme fort belle; son voisin en devint amoureux et l'enleva. Il s'émut[1] une grande querelle, et, après bien des injures et des coups, ils convinrent de s'en remettre à la décision d'un Troglodyte qui, pendant que la République subsistait, avait eu quelque crédit. Ils allèrent à lui et voulurent lui dire leurs raisons. « Que m'importe, dit cet homme, que cette femme soit à vous, ou à vous? J'ai mon champ à labourer; je n'irai peut-être pas employer mon temps à terminer vos différends et travailler à vos affaires, tandis que je négligerai les miennes. Je vous prie de me laisser en repos et de ne m'importuner plus de vos querelles. » Là-dessus il les quitta et s'en alla travailler sa terre. Le ravisseur, qui était le plus fort, jura qu'il mourrait plutôt que de rendre cette femme, et l'autre, pénétré de l'injustice de son voisin et de la dureté du juge, s'en retourna désespéré, lorsqu'il trouva dans son chemin une femme jeune et belle, qui revenait de la fontaine. Il n'avait plus de femme; celle-là lui plut, et elle lui plut bien davantage lorsqu'il apprit que c'était la femme de celui qu'il avait voulu prendre pour juge, et qui avait été si peu sensible à son malheur. Il l'enleva et l'emmena dans sa maison.

Il y avait un homme qui possédait un champ assez fertile, qu'il cultivait avec grand soin. Deux de ses voisins s'unirent ensemble, le chassèrent de sa maison, occupèrent[2] son champ; ils firent entre eux une union pour se défendre contre tous ceux qui voudraient l'usurper, et effectivement ils se soutinrent par là pendant plusieurs mois. Mais un des deux, ennuyé de partager ce qu'il pouvait avoir tout seul, tua l'autre et devint seul maître du champ. Son empire ne fut pas long : deux autres Troglodytes vinrent l'attaquer; il se trouva trop faible pour se défendre, et il fut massacré.

---

1. Il s'éleva; 2. *Occuper :* s'emparer de (sens du lat. *occupare*).

Un Troglodyte presque tout nu vit de la laine qui était à vendre; il en demanda le prix. Le marchand dit en lui-même : « Naturellement je ne devrais espérer de ma laine qu'autant d'argent qu'il en faut pour acheter deux mesures de blé; mais je la vais vendre quatre fois davantage, afin d'avoir huit mesures. » Il fallut en passer par là et payer le prix demandé. « Je suis bien aise, dit le marchand : j'aurai du blé à présent. — Que dites-vous? reprit l'acheteur. Vous avez besoin de blé? J'en ai à vendre. Il n'y a que le prix qui vous étonnera peut-être : car vous saurez que le blé est extrêmement cher, et que la famine règne presque partout. Mais rendez-moi mon argent, et je vous donnerai une mesure de blé : car je ne veux pas m'en défaire autrement, dussiez-vous crever de faim. »

Cependant une maladie cruelle ravageait la contrée. Un médecin habile y arriva du pays voisin et donna ses remèdes si à propos qu'il guérit tous ceux qui se mirent dans ses mains. Quand la maladie eut cessé, il alla chez tous ceux qu'il avait traités demander son salaire; mais il ne trouva que des refus. Il retourna dans son pays, et il y arriva accablé des fatigues d'un si long voyage. Mais bientôt après il apprit que la même maladie se faisait sentir de nouveau et affligeait plus que jamais cette terre ingrate[1]. Ils allèrent à lui cette fois et n'attendirent pas qu'il vînt chez eux. « Allez, leur dit-il, hommes injustes! Vous avez dans l'âme un poison plus mortel que celui dont vous voulez guérir; vous ne méritez pas d'occuper une place sur la Terre, parce que vous n'avez point d'humanité et que les règles de l'équité vous sont inconnues : je croirais offenser les dieux, qui vous punissent, si je m'opposais à la justice de leur colère. »

A Erzéron, le 3 de la lune de Gemmadi 2ᵉ, 1711.

12. USBEK AU MÊME, À ISPAHAN

Tu as vu, mon cher Mirza, comment les Troglodytes périrent par leur méchanceté même, et furent les victimes de leurs propres injustices. De tant de familles, il n'en resta que deux qui échappèrent aux malheurs de la nation. Il y avait dans ce pays deux hommes bien singuliers[2] : ils avaient

---

1. *Ingrat :* qui paye mal; qui manque de reconnaissance; **2.** *Singuliers :* uniques en leur genre.

Fable, implies naturalistic concepts of morality

de l'humanité; ils connaissaient la justice; ils aimaient la vertu; autant liés par la droiture de leur cœur que par la corruption de celui des autres, ils voyaient la désolation[1] générale, et ne la ressentaient que par la pitié : c'était le motif d'une union nouvelle. Ils travaillaient avec une sollicitude commune pour l'intérêt commun; ils n'avaient de différends que ceux qu'une douce et tendre amitié faisait naître; et dans l'endroit du pays le plus écarté, séparés de leurs compatriotes indignes de leur présence, ils menaient une vie heureuse et tranquille : la terre semblait produire d'elle-même, cultivée par ces vertueuses mains.

Ils aimaient leurs femmes, et ils en étaient tendrement chéris. Toute leur attention était d'élever leurs enfants à la vertu. Ils leur représentaient[2] sans cesse les malheurs de leurs compatriotes, et leur mettaient devant les yeux cet exemple si triste; ils leur faisaient surtout sentir que l'intérêt des particuliers se trouve toujours dans l'intérêt commun; que vouloir s'en séparer, c'est vouloir se perdre; que la vertu n'est point une chose qui doive nous coûter; qu'il ne faut point la regarder comme un exercice pénible, et que la justice pour autrui est une charité pour nous.

Ils eurent bientôt la consolation des pères vertueux, qui est d'avoir des enfants qui leur ressemblent. Le jeune peuple qui s'éleva sous leurs yeux s'accrut par d'heureux mariages : le nombre augmenta, l'union fut toujours la même; et la vertu, bien loin de s'affaiblir dans la multitude, fut fortifiée, au contraire, par un grand nombre d'exemples.

Qui pourrait représenter ici le bonheur de ces Troglodytes? Un peuple si juste devait être chéri des dieux. Dès qu'il ouvrit les yeux pour les connaître, il apprit à les craindre; et la religion vint adoucir dans les mœurs ce que la nature y avait laissé de trop rude.

Ils instituèrent des fêtes en l'honneur des dieux. Les jeunes filles, ornées de fleurs, et les jeunes garçons, les célébraient par leurs danses et par les accords d'une musique champêtre; on faisait ensuite des festins où la joie ne régnait pas moins que la frugalité. C'était dans ces assemblées que parlait la nature naïve[3], c'est là qu'on apprenait à donner le cœur et à le recevoir : c'est là que la pudeur virginale

---

1. *Désolation* (sens premier) : solitude physique et morale; **2.** C'est-à-dire : mettaient sous les yeux comme avertissement; **3.** Aussi pure qu'elle l'était au jour de la naissance *(nativa)*.

faisait en rougissant un aveu surpris, mais bientôt confirmé par le consentement des pères; et c'est là que les tendres mères se plaisaient à prévoir de loin une union douce et fidèle.

On allait au temple pour demander les faveurs des dieux : ce n'était pas les richesses et une onéreuse abondance; de pareils souhaits étaient indignes des heureux Troglodytes; ils ne savaient les désirer que pour leurs compatriotes. Ils n'étaient au pied des autels que pour demander la santé de leurs pères, l'union de leurs frères, la tendresse de leurs femmes, l'amour et l'obéissance de leurs enfants. Les filles y venaient apporter le tendre sacrifice de leur cœur et ne leur demandaient d'autre grâce que celle de pouvoir rendre un Troglodyte heureux.

Le soir, lorsque les troupeaux quittaient les prairies, et que les bœufs fatigués avaient ramené la charrue, ils s'assemblaient, et, dans un repas frugal, ils chantaient les injustices des premiers Troglodytes et leurs malheurs, la vertu renaissante avec un nouveau peuple et sa félicité. Ils célébraient les grandeurs des dieux, leurs faveurs toujours présentes aux hommes qui les implorent, et leur colère inévitable à ceux qui ne les craignent pas; ils décrivaient ensuite les délices de la vie champêtre et le bonheur d'une condition toujours parée de l'innocence. Bientôt ils s'abandonnaient à un sommeil que les soins et les chagrins n'interrompaient jamais.

La Nature ne fournissait pas moins à leurs désirs qu'à leurs besoins. Dans ce pays heureux, la cupidité était étrangère : ils se faisaient des présents où[1] celui qui donnait croyait toujours avoir l'avantage. Le peuple troglodyte se regardait comme une seule famille; les troupeaux étaient presque toujours confondus; la seule peine qu'on s'épargnait ordinairement, c'était de les partager[2].

D'Erzéron, le 6 de la lune de Gemmadi 2e, 1711.

13. USBEK AU MÊME

Je ne saurais assez te parler de la vertu des Troglodytes. Un d'eux disait un jour : « Mon père doit demain labourer

1. Dans lesquels; 2. Le *Télémaque* de Fénelon (1699) a influencé Montesquieu dans tout cet épisode.

son champ; je me lèverai deux heures avant lui, et, quand il ira à son champ, il le trouvera tout labouré. »

Un autre disait en lui-même : « Il me semble que ma sœur a du goût pour un jeune Troglodyte de nos parents; il faut que je parle à mon père, et que je le détermine à faire ce mariage. »

On vint dire à un autre que des voleurs avaient enlevé son troupeau : « J'en suis bien fâché, dit-il, car il y avait une génisse toute blanche que je voulais offrir aux dieux. »

On entendait dire à un autre : « Il faut que j'aille au temple remercier les dieux; car mon frère, que mon père aime tant et que je chéris si fort, a recouvré la santé. »

Ou bien : « Il y a un champ qui touche celui de mon père, et ceux qui le cultivent sont tous les jours exposés aux ardeurs du soleil; il faut que j'aille y planter deux arbres, afin que ces pauvres gens puissent aller quelquefois se reposer sous leur ombre. »

Un jour que plusieurs Troglodytes étaient assemblés, un vieillard parla d'un jeune homme qu'il soupçonnait d'avoir commis une mauvaise action, et lui en fit des reproches. « Nous ne croyons pas qu'il ait commis ce crime, dirent les jeunes Troglodytes; mais s'il l'a fait, puisse-t-il mourir le dernier de sa famille! »

On vint dire à un Troglodyte que des étrangers avaient pillé sa maison et avaient tout emporté. « S'ils n'étaient pas injustes, répondit-il, je souhaiterais que les dieux leur en donnassent un plus long usage qu'à moi. »

Tant de prospérités ne furent pas regardées sans envie; les peuples voisins s'assemblèrent; et, sous un vain prétexte, ils résolurent d'enlever leurs troupeaux. Dès que cette résolution fut connue, les Troglodytes envoyèrent au-devant d'eux des ambassadeurs, qui leur parlèrent ainsi :

« Que vous ont fait les Troglodytes? Ont-ils enlevé vos femmes, dérobé vos bestiaux, ravagé vos campagnes? Non : nous sommes justes, et nous craignons les dieux. Que demandez-vous donc de nous? Voulez-vous de la laine pour vous faire des habits? voulez-vous du lait de nos troupeaux, ou des fruits de nos terres? Mettez bas les armes; venez au milieu de nous, et nous vous donnerons de tout cela. Mais nous jurons, par ce qu'il y a de plus sacré, que, si vous entrez dans nos terres comme ennemis, nous vous regarderons comme un peuple injuste, et que nous vous traiterons comme des bêtes farouches. »

Ces paroles furent renvoyées avec mépris; ces peuples sauvages entrèrent armés dans la terre des Troglodytes, qu'ils ne croyaient défendus que par leur innocence.

Mais ils étaient bien disposés à la défense. Ils avaient mis leurs femmes et leurs enfants au milieu d'eux[1]. Ils furent étonnés de l'injustice de leurs ennemis, et non pas de leur nombre. Une ardeur nouvelle s'était emparée de leur cœur : l'un voulait mourir pour son père, un autre pour sa femme et ses enfants, celui-ci pour ses frères, celui-là pour ses amis, tous, pour le peuple troglodyte. La place de celui qui expirait était d'abord[2] prise par un autre, qui, outre la cause commune, avait encore une mort particulière à venger.

Tel fut le combat de l'Injustice et de la Vertu; ces peuples lâches, qui ne cherchaient que le butin, n'eurent pas honte de fuir, et ils cédèrent à la vertu des Troglodytes, même sans en[3] être touchés.

D'Erzéron, le 9 de la lune de Gemmadi 2ᵉ, 1711.

14. USBEK AU MÊME

Comme le peuple grossissait tous les jours, les Troglodytes crurent qu'il était à propos de se choisir un roi. Ils convinrent qu'il fallait déférer la couronne à celui qui était le plus juste, et ils jetèrent tous les yeux sur un vieillard vénérable par son âge et par une longue vertu. Il n'avait pas voulu se trouver à cette assemblée; il s'était retiré dans sa maison, le cœur serré de tristesse.

Lorsqu'on lui envoya des députés pour lui apprendre le choix qu'on avait fait de lui : « A Dieu ne plaise, dit-il, que je fasse ce tort aux Troglodytes, que l'on puisse croire qu'il n'y a personne parmi eux de plus juste que moi! Vous me déférez la couronne, et, si vous le voulez absolument, il faudra bien que je la prenne. Mais comptez que je mourrai de douleur d'avoir vu en naissant les Troglodytes libres et de les voir aujourd'hui assujettis[4]. » A ces mots, il se mit à répandre un torrent de larmes. « Malheureux jour! disait-il; et pourquoi ai-je tant vécu? » Puis il s'écria d'une voix sévère : « Je vois bien ce que c'est, ô

---

1. Comme les Germains de Tacite; 2. Aussitôt; 3. Par cette vertu; 4. *Assujettis* : réduits à l'état de sujets.

Troglodytes! votre vertu commence à vous peser. Dans
l'état où vous êtes, n'ayant point de chef, il faut que vous
soyez vertueux malgré vous : sans cela vous ne sauriez
subsister, et vous tomberiez dans le malheur de vos premiers
pères. Mais ce joug vous paraît trop dur; vous aimez mieux
être soumis à un prince et obéir à ses lois, moins rigides
que vos mœurs. Vous savez que, pour lors, vous pourrez
contenter votre ambition, acquérir des richesses et languir
dans une lâche volupté, et que, pourvu que vous évitiez
de tomber dans les grands crimes, vous n'aurez pas besoin
de la vertu. » Il s'arrêta un moment et ses larmes coulèrent
plus que jamais. « Eh! que prétendez-vous que je fasse?
Comment se peut-il que je commande quelque chose à un
Troglodyte? Voulez-vous qu'il fasse une action vertueuse
parce que je la lui commande, lui qui la ferait tout de même
sans moi, et par le seul penchant de sa nature? O Troglodytes! je suis à la fin de mes jours, mon sang est glacé dans
mes veines, je vais bientôt revoir vos sacrés aïeux : pourquoi
voulez-vous que je les afflige, et que je sois obligé de leur
dire que je vous ai laissés sous un autre joug que celui de
la vertu? »

D'Erzéron, le 10 de la lune de Gemmadi 2e, 1711.

VI. — LES LETTRES

133. RICA À ***

J'allai l'autre jour voir une grande bibliothèque dans
un couvent de dervis[1], qui en sont comme les dépositaires,
mais qui sont obligés d'y laisser entrer tout le monde à
certaines heures.

En entrant, je vis un homme grave[2] qui se promenait au
milieu d'un nombre innombrable de volumes qui l'entouraient. J'allai à lui et le priai de me dire quels étaient quelques-uns de ces livres que je voyais mieux reliés que les

---

1. Il s'agit de l'abbaye de Saint-Victor, alors située à l'emplacement de
l'actuelle Halle aux Vins; 2. Le supérieur de ce couvent.

autres. « Monsieur, me dit-il, j'habite ici une terre étrangère :
je n'y connais personne. Bien des gens me font de pareilles
questions; mais vous voyez bien que je n'irai pas lire tous
ces livres pour les satisfaire. J'ai mon bibliothécaire qui vous
donnera satisfaction; car il s'occupe nuit et jour à déchiffrer
tout ce que vous voyez là; c'est un homme qui n'est bon
à rien, et qui nous est très à charge, parce qu'il ne travaille
point pour le couvent. Mais j'entends l'heure du réfectoire
qui sonne. Ceux qui, comme moi, sont à la tête d'une communauté, doivent être les premiers à tous les exercices. »
En disant cela, le moine me poussa dehors, ferma la porte
et, comme s'il eût volé, disparut à mes yeux.

De Paris, le 21 de la lune de Rhamazan, 1719.

134. RICA AU MÊME

Je retournai le lendemain à cette bibliothèque, où je
trouvai tout un autre homme que celui que j'avais vu la
première fois : son air était simple; sa physionomie, spirituelle; et son abord, très affable. Dès que je lui eus fait
connaître ma curiosité, il se mit en devoir de la satisfaire
et même, en qualité d'étranger, de m'instruire.

« Mon Père, lui dis-je, quels sont ces gros volumes qui
tiennent tout ce côté de bibliothèque ? — Ce sont, me dit-il,
les interprètes[1] de l'Écriture. — Il y en a un grand nombre!
lui repartis-je. Il faut que l'Écriture fût bien obscure autrefois et bien claire à présent. Reste-t-il encore quelques
doutes ? Peut-il y avoir des points contestés ? — S'il y en a,
bon Dieu! s'il y en a! me répondit-il. Il y en a presque autant
que de lignes ? — Oui ? lui dis-je. Et qu'ont donc fait tous
ces auteurs ? Ces auteurs, me repartit-il, n'ont point cherché dans l'Écriture ce qu'il faut croire, mais ce qu'ils croient
eux-mêmes : ils ne l'ont point regardée comme un livre
où étaient contenus les dogmes qu'ils devaient recevoir,
mais comme un ouvrage qui pourrait donner de l'autorité
à leurs propres idées. C'est pour cela qu'ils en ont corrompu
tous les sens et ont donné la torture à tous les passages.
C'est un pays où les hommes de toutes les sectes[2] font
des descentes et vont comme au pillage; c'est un champ

---

1. Il s'agit des Pères de l'Église et de tous les commentateurs des Écritures
saintes; **2.** *Secte* : réunion de personnes « qui suivent » les mêmes doctrines en
religion, politique, philosophie.

de bataille où les nations ennemies qui se rencontrent livrent bien des combats, où l'on s'attaque, où l'on s'escarmouche de bien des manières.

« Tout près de là vous voyez les livres ascétiques[1] ou de dévotion; ensuite les livres de morale, bien plus utiles; ceux de théologie, doublement inintelligibles, et par la matière qui y est traitée, et par la manière de la traiter; les ouvrages des mystiques[2], c'est-à-dire des dévots qui ont le cœur tendre. — Ah! mon Père, lui dis-je, un moment. N'allez pas si vite. Parlez-moi de ces mystiques. — Monsieur, dit-il, la dévotion échauffe un cœur disposé à la tendresse et lui fait envoyer des esprits[3] au cerveau, qui l'échauffent de même : d'où naissent les extases et les ravissements. Cet état est le délire de la dévotion. Souvent il se perfectionne ou plutôt dégénère en quiétisme[4] : vous savez qu'un quiétiste n'est autre chose qu'un homme fou, dévot et libertin.

« Voyez les casuistes[5], qui mettent au jour les secrets de la nuit, qui forment dans leur imagination tous les monstres que le Démon d'Amour peut produire, les rassemblent, les comparent et en font l'objet éternel de leurs pensées : heureux si leur cœur ne se met pas de la partie et ne devient pas lui-même complice de tant d'égarements si naïvement décrits et si nuement peints!

« Vous voyez, Monsieur, que je pense librement, et que je vous dis tout ce que je pense. Je suis naturellement naïf[6] et plus encore avec vous qui êtes un étranger, qui voulez savoir les choses et les savoir telles qu'elles sont. Si je voulais, je ne vous parlerais de tout ceci qu'avec admiration, je vous dirais sans cesse : « Cela est divin, cela est respectable; il y a du merveilleux. » Et il en arriverait de deux choses l'une, ou que je vous tromperais, ou que je me déshonorerais dans votre esprit. »

Nous en restâmes là; une affaire qui survint au dervis rompit notre conversation jusques au lendemain.

De Paris, le 23 de la lune de Rhamazan, 1719.

---

1. Les livres qui règlent les *exercices* religieux; 2. Ceux qui sont initiés à une religion contemplative et extatique; 3. Des esprits animaux; cf. p. 33, note 2; 4. Le *quiétisme*, ou le pur amour de Dieu par communication directe, fut condamné en 1699, à l'occasion du livre de Fénelon, *Explication des maximes des saints*; 5. Les auteurs qui étudient les cas de conscience, les jésuites particulièrement; on les accuse ici de se complaire un peu trop à la description des vices qu'ils condamnent; 6. Plein de franchise naturelle.

135. RICA AU MÊME

Je revins à l'heure marquée, et mon homme me mena précisément dans l'endroit où nous nous étions quittés. « Voici, me dit-il, les grammairiens, les glossateurs[1], et les commentateurs. — Mon père, lui dis-je, tous ces gens-là ne peuvent-ils pas se dispenser d'avoir du bon sens ? — Oui, dit-il, ils le peuvent ; et même il n'y paraît pas ; leurs ouvrages n'en sont pas plus mauvais : ce qui est très commode pour eux. — Cela est vrai, lui dis-je ; et je connais bien des philosophes qui feraient bien de s'appliquer à ces sortes de sciences. »

« Voilà, poursuivit-il, les orateurs, qui ont le talent de persuader indépendamment des raisons ; et les géomètres, qui obligent un homme malgré lui d'être persuadé, et le convainquent avec tyrannie.

« Voici les livres de métaphysique, qui traitent de si grands intérêts, et dans lesquels l'infini se rencontre partout[2] ; les livres de physique, qui ne trouvent pas plus de merveilleux dans l'économie du vaste univers que dans la machine la plus simple de nos artisans ; les livres de médecine, ces monuments[3] de la fragilité de la nature et de la puissance de l'art, qui font trembler quand ils traitent des maladies même les plus légères, tant ils nous rendent la mort présente, mais qui nous mettent dans une sécurité entière quand ils parlent de la vertu des remèdes, comme si nous étions devenus immortels.

« Tout près de là sont les livres d'anatomie, qui contiennent bien moins la description des parties du corps humain que les noms barbares qu'on leur a donnés : chose qui ne guérit ni le malade de son mal, ni le médecin de son ignorance.

« Voici la chimie, qui habite tantôt à l'hôpital et tantôt les Petites-Maisons[4], comme des demeures qui lui sont également propres.

« Voici les livres de science, ou plutôt d'ignorance occulte[5] :

1. *Glossateur :* celui qui explique les mots et les passages difficiles d'un texte ; 2. Ironie commune à tous les « philosophes » du XVIIIe siècle : la métaphysique traite de questions qui nous dépassent ; 3. *Monument :* tout ce qui appelle le « souvenir » de quelque chose ; 4. *Les Petites Maisons.* Nom qu'avait porté un asile de fous à Paris et qui était donné par extension à tout établissement de ce genre. Selon Montesquieu, les chimistes sont donc voués à la misère ou à la folie ; 5. C'est-à-dire : alchimie, magie, nécromancie, astrologie, etc.

tels sont ceux qui contiennent quelque espèce de diablerie : exécrables selon la plupart des gens, pitoyables selon moi. Tels sont encore les livres d'astrologie judiciaire[1]. — Que dites-vous, mon Père ? Les livres d'astrologie judiciaire ! repartis-je avec feu. Et ce sont ceux dont nous faisons le plus de cas en Perse : ils règlent toutes les actions de notre vie et nous déterminent dans toutes nos entreprises. Les astrologues sont proprement nos directeurs ; ils font plus : ils entrent dans le gouvernement de l'État. — Si cela est, me dit-il, vous vivez sous un joug bien plus dur que celui de la raison. Voilà le plus étrange de tous les empires. Je plains bien une famille et encore plus une nation qui se laisse si fort dominer par les planètes. — Nous nous servons, lui repartis-je, de l'astrologie comme vous vous servez de l'algèbre. Chaque nation a sa science, selon laquelle elle règle sa politique ; tous les astrologues ensemble n'ont jamais fait tant de sottises en notre Perse qu'un seul de vos algébristes en a fait ici. Croyez-vous que le concours fortuit des astres ne soit pas une règle aussi sûre que les beaux raisonnements de votre faiseur de Système[2] ? Si l'on comptait les voix là-dessus en France et en Perse, ce serait un beau sujet de triomphe pour l'astrologie ; vous verriez les calculateurs bien humiliés. Quel accablant corollaire n'en pourrait-on pas tirer contre eux ? »

Notre dispute[3] fut interrompue, et il fallut nous quitter.

De Paris, le 26 de la lune de Rhamazan, 1719.

136. RICA AU MÊME

Dans l'entrevue suivante, mon savant me mena dans un cabinet particulier. « Voici les livres d'histoire moderne, me dit-il. Voyez premièrement les historiens de l'Église et des papes, livres que je lis pour m'édifier et qui font souvent en moi un effet contraire.

1. C'est l'art de consulter les astres, non seulement pour connaître la destinée de chaque individu dès sa naissance, mais encore pour prendre des décisions (d'où le qualificatif de *judiciaire*) en toutes circonstances de la vie ;
2. Les algébristes sont les financiers, et le *faiseur de système* est Law. Voici une épitaphe qu'on lui fit en 1720 :

Ci-gît cet Écossais célèbre,
Ce calculateur sans égal,
Qui, par les règles de l'algèbre,
A mis la France à l'hôpital.

3. *Dispute* : discussion.

« Là ce sont ceux qui ont écrit de la décadence du formidable empire romain, qui s'était formé du débris de tant de monarchies, et sur la chute duquel il s'en forma aussi tant de nouvelles. Un monde infini de peuples barbares, aussi inconnus que les pays qu'ils habitaient, parurent tout à coup, l'inondèrent, le ravagèrent, le dépecèrent et fondèrent tous les royaumes que vous voyez à présent en Europe. Ces peuples n'étaient point proprement barbares, puisqu'ils étaient libres; mais ils le sont devenus depuis que, soumis pour la plupart à une puissance absolue, ils ont perdu cette douce liberté si conforme à la raison, à l'humanité et à la nature[1].

« Vous voyez ici les historiens de l'Empire[2] d'Allemagne, qui n'est qu'une ombre du premier empire, mais qui est, je crois, la seule puissance qui soit sur la terre que la division n'ait point affaiblie; la seule, je crois encore, qui se fortifie à mesure de ses pertes et qui, lente à profiter des succès, devient indomptable par ses défaites.

« Voici les historiens de France, où[3] l'on voit d'abord la puissance de nos rois se former, mourir deux fois[4], renaître de même, languir ensuite pendant plusieurs siècles; mais, prenant insensiblement des forces, accrue de toutes parts, monter à son dernier période[5] : semblable à ces fleuves qui dans leur course perdent leurs eaux, ou se cachent sous terre, puis, reparaissant de nouveau, grossis par les rivières qui s'y jettent, entraînent avec rapidité tout ce qui s'oppose à leur passage.

« Là, vous voyez la nation espagnole sortir de quelques montagnes; les princes mahométans subjugués aussi insensiblement qu'ils avaient rapidement conquis; tant de royaumes réunis dans une vaste monarchie, qui devint presque la seule, jusqu'à ce qu'accablée de sa fausse opulence, elle perdit sa force et sa réputation même, et ne conserva que l'orgueil de sa première puissance[6].

---

1. On voit poindre ici une des utopies du XVIIIe siècle : les barbares sont des civilisés qui ont perdu leur liberté; 2. Le Saint Empire romain germanique; 3. Dans lesquels; 4. Lors de la disparition des deux premières dynasties, mérovingienne et carolingienne; 5. *Période* (au masculin) : le plus haut point où l'on atteint. La royauté s'accroît progressivement au détriment des féodaux; 6. Sous Isabelle de Castille et Ferdinand V (XVe siècle), qui réunirent la Castille et l'Aragon, furent conquises Grenade et la Navarre. Charles-Quint fut roi d'Espagne et empereur d'Allemagne. La décadence commence sous Philippe II avec la défaite de l'invincible Armada. Elle s'accélère au XVIIe siècle.

« Ce sont ici les historiens d'Angleterre, où l'on voit la liberté sortir sans cesse des feux de la discorde et de la sédition; le prince toujours chancelant sur un trône inébranlable; une nation impatiente, sage dans sa fureur même, et qui, maîtresse de la mer (chose inouïe jusqu'alors), mêle le commerce avec l'empire[1].

« Tout près de là, sont les historiens de cette autre reine de la mer, la république de Hollande[2], si respectée en Europe et si formidable en Asie, où ses négociants voient tant de rois prosternés devant eux.

« Les historiens d'Italie vous représentent une nation autrefois maîtresse du monde, aujourd'hui esclave de toutes les autres; ses princes divisés et faibles, et sans autre attribut de souveraineté qu'une vaine politique[3].

« Voilà les historiens des républiques, de la Suisse, qui est l'image de la liberté; de Venise, qui n'a de ressources que dans son économie[4]; et de Gênes[5], qui n'est superbe que par ses bâtiments.

« Voici ceux du Nord, et entre autres la Pologne, qui use si mal de sa liberté et du droit qu'elle a d'élire ses rois, qu'il semble qu'elle veuille consoler par là les peuples ses voisins, qui ont perdu l'un et l'autre[6]. »

Là-dessus, nous nous séparâmes jusqu'au lendemain.

De Paris, le 2 de la lune de Chalval, 1719.

137. RICA AU MÊME

Le lendemain, il me mena dans un autre cabinet. Ce sont ici les poètes, me dit-il; c'est-à-dire ces auteurs dont le métier est de mettre des entraves au bon sens, et d'accabler la raison sous les agréments, comme on ensevelissait autrefois les femmes sous leurs ornements et leurs parures[7].

---

1. *L'empire* : la puissance militaire. L'Angleterre était alors à l'apogée de sa puissance maritime et coloniale; 2. La force de la Hollande était dans sa marine marchande. Elle avait de nombreux comptoirs; 3. L'Italie est ici fort maltraitée. C'était une poussière de petits États : théocraties, oligarchies, républiques, principautés de toute sorte. Mais déjà la maison de Piémont grandit; elle tient la Savoie et la Sicile; 4. Son administration financière; 5. Toutes les forces de Gênes, surnommée traditionnellement la Superbe (l'orgueilleuse), étaient dans sa marine; 6. Le roi était élu par la diète, formée des grands seigneurs, au milieu des intrigues et du bruit des armes. Grâce au *liberum veto*, un seul noble pouvait arrêter toute décision. Montesquieu termine par une épigramme; 7. Par exemple en Égypte.

Vous les connaissez; ils ne sont pas rares chez les Orientaux, où le soleil, plus ardent, semble échauffer les imaginations mêmes.

« Voilà les poèmes épiques. — Eh! qu'est-ce que les poèmes épiques ? — En vérité, me dit-il, je n'en sais rien; les connaisseurs disent qu'on n'en a jamais fait que deux[1], et que les autres qu'on donne sous ce nom ne le sont point : c'est aussi ce que je ne sais pas. Ils disent de plus qu'il est impossible d'en faire de nouveaux; et cela est encore plus surprenant.

« Voici les poètes dramatiques, qui, selon moi, sont les poètes par excellence, et les maîtres des passions. Il y en a de deux sortes : les comiques, qui nous remuent si douce-ment; et les tragiques, qui nous troublent et nous agitent avec tant de violence.

« Voici les lyriques, que je méprise autant que j'estime les autres, et qui font de leur art une harmonieuse extravagance[2].

« On voit ensuite les auteurs des idylles et des églogues, qui plaisent même aux gens de cour par l'idée qu'ils leur donnent d'une certaine tranquillité qu'ils n'ont pas, et qu'ils leur montrent dans la condition des bergers.

« De tous les auteurs que nous avons vus, voici les plus dangereux : ce sont ceux qui aiguisent les épigrammes, qui sont de petites flèches déliées qui font une plaie profonde et inaccessible aux remèdes.

« Vous voyez ici les romans, dont les auteurs sont des espèces de poètes, qui outrent également le langage de l'esprit et celui du cœur; ils passent leur vie à chercher la nature, et la manquent toujours; et leurs héros y sont aussi étrangers que les dragons ailés et les hippocentaures[3].

« J'ai vu, lui dis-je, quelques-uns de vos romans; et, si vous voyiez les nôtres, vous seriez encore plus choqué. Ils sont aussi peu naturels, et d'ailleurs, extrêmement gênés par nos mœurs : il faut dix années de passion avant qu'un amant ait pu voir seulement le visage de sa maîtresse. Cependant les auteurs sont forcés de faire passer les lec-teurs dans ces ennuyeux préliminaires. Or, il est impossible que les incidents soient variés. On recourt à un artifice pire que le mal même qu'on veut guérir : c'est aux prodiges. Je suis sûr que vous ne trouverez pas bon qu'une magicienne

---

1. *L'Illiade* et *l'Odyssée* ; **2.** Alliance de mots spirituelle et jugement sévère; **3.** *Hippocentaures* ou *centaures :* hommes-chevaux.

fasse sortir une armée de dessous terre, qu'un héros, lui seul, en détruise une de cent mille hommes. Cependant voilà nos romans : ces aventures froides et souvent répétées nous font languir, et ces prodiges extravagants nous révoltent[1]. »

De Paris, le 6 de la lune de Chalval, 1719.

36. USBEK À RHÉDI, À VENISE

Le café est très en usage à Paris : il y a un grand nombre de maisons publiques où on le distribue. Dans quelques-unes de ces maisons, on dit des nouvelles; dans d'autres, on joue aux échecs. Il y en a une[2] où l'on apprête le café de telle manière qu'il donne de l'esprit à ceux qui en prennent : au moins, de tous ceux qui en sortent, il n'y a personne qui ne croie qu'il en a quatre fois plus que lorsqu'il y est entré.

Mais ce qui me choque de ces beaux esprits, c'est qu'ils ne se rendent pas utiles à leur patrie, et qu'ils amusent leurs talents à des choses puériles. Par exemple, lorsque j'arrivai à Paris, je les trouvai échauffés sur une dispute la plus mince qui se puisse imaginer : il s'agissait de la réputation d'un vieux poète grec dont, depuis deux mille ans, on ignore la patrie, aussi bien que le temps de sa mort[3]. Les deux partis avouaient que c'était un poète excellent : il n'était question que du plus ou du moins de mérite qu'il fallait lui attribuer. Chacun en voulait donner le taux : mais parmi ces distributeurs de réputation, les uns faisaient meilleur poids que les autres : voilà la querelle[4]. Elle était bien vive, car on se disait cordialement de part et d'autre des injures si grossières, on faisait des plaisanteries si amères, que je n'admirais[5] pas moins la manière de disputer que le sujet de la dispute. Si quelqu'un, disais-je en moi-même, était assez étourdi pour aller, devant un de ces défenseurs du

---

1. Satire des romans galants à la manière de Mlle de Scudéry, Gomberville, La Calprenède, Desmarais, etc. Voltaire fut très en colère contre Montesquieu : « Il est coupable de lèse-poésie », s'écriait-il; 2. Le café Procope, en face de la Comédie-Française; là se réunissaient Fontenelle, Duclos, Piron, Voltaire, puis Diderot, Marmontel, La Chaussée, etc. Il y avait aussi le café Laurent où se réunissaient J.-B. Rousseau, Fontenelle, La Motte, c'est-à-dire « les Modernes »; et le café Gradot, avec La Motte, Saurin, Maupertuis; 3. Il s'agit de la polémique qui opposa Houdart de La Motte et Mme Dacier à propos d'Homère (deuxième phase de la querelle des Anciens et des Modernes, 1713); 4. En fait, le problème était plus vaste et posait la question du progrès en littérature; 5. *Admirer* : considérer avec étonnement.

poète grec, attaquer la réputation de quelque honnête
citoyen, il ne serait pas mal relevé[1] ! et je crois que ce zèle,
si délicat sur la réputation des morts, s'embraserait bien
pour défendre celle des vivants ! Mais quoi qu'il en soit,
ajoutais-je, Dieu me garde de m'attirer jamais l'inimitié
des censeurs de ce poète, que le séjour de deux mille ans
dans le tombeau n'a pu garantir d'une haine si implacable !
Ils frappent à présent des coups en l'air : mais que serait-ce,
si leur fureur était animée par la présence d'un ennemi. [...]

A Paris, le dernier de la lune de Zilhagé, 1713.

73. RICA À ✱✱✱

J'ai ouï parler d'une espèce de tribunal qu'on appelle
l'Académie française. Il n'y en a point de moins respecté
dans le monde : car on dit qu'aussitôt qu'il a décidé, le
peuple casse ses arrêts et lui impose des lois qu'il est obligé
de suivre[2].

Il y a quelque temps que, pour fixer son autorité, il
donna un code de ses jugements[3]. Cet enfant de tant de
pères était presque vieux quand il naquit, et, quoiqu'il
fût légitime, un bâtard, qui avait déjà paru[4], l'avait presque
étouffé dans sa naissance.

Ceux qui le composent n'ont d'autre fonction que de
jaser sans cesse; l'éloge va se placer comme de lui-même
dans leur babil éternel, et, sitôt qu'ils sont initiés dans ses
mystères, la fureur du panégyrique[5] vient les saisir et ne
les quitte plus.

Ce corps a quarante têtes toutes remplies de figures, de
métaphores et d'antithèses; tant de bouches ne parlent
presque que par exclamation; ses oreilles veulent toujours
être frappées par la cadence et l'harmonie. Pour les yeux,
il n'en est pas question : il semble qu'il soit fait pour parler,
et non pas pour voir. Il n'est point ferme sur ses pieds :
car le temps, qui est son fléau, l'ébranle à tous les instants
et détruit tout ce qu'il a fait. On a dit autrefois que ses

---

1. C'est-à-dire : repris vivement; 2. La loi de l'usage; 3. Le *Dictionnaire
de l'Académie*, 1694; 4. Le *Dictionnaire universel* de Furetière, 2 vol. in-folio,
qui fit exclure son auteur de l'Académie française, 1685; 5. *Panégyrique* :
discours d'apparat consacré aux louanges d'un personnage ou d'une institution : ici, c'est une allusion aux « Éloges » académiques. Montesquieu fut de
l'Académie six ans plus tard (1727).

mains étaient avides[1]. Je ne t'en dirai rien, et je laisse décider cela à ceux qui le savent mieux que moi.

Voilà des choses, ***, que l'on ne voit point dans notre
Perse. Nous n'avons point l'esprit porté à ces établissements
singuliers et bizarres; nous cherchons toujours la nature
dans nos coutumes simples et nos manières naïves.

De Paris, le 27 de la lune de Zilhagé, 1715.

105. RHÉDI À USBEK, À PARIS

Tu m'as beaucoup parlé, dans une de tes lettres, des
sciences et des arts cultivés en Occident. Tu me vas regarder
comme un barbare; mais je ne sais si l'utilité que l'on en
retire dédommage les hommes du mauvais usage que l'on
en fait tous les jours.

J'ai ouï dire que la seule invention des bombes avait ôté
la liberté à tous les peuples de l'Europe. Les princes ne
pouvant plus confier la garde des places aux bourgeois, qui,
à la première bombe, se seraient rendus, ont eu un prétexte
pour entretenir de gros corps de troupes réglées, avec lesquelles ils ont, dans la suite, opprimé leurs sujets.

Tu sais que, depuis l'invention de la poudre, il n'y a
plus de place imprenable : c'est-à-dire, Usbek, qu'il n'y a
plus d'asile sur la Terre contre l'injustice et la violence.

Je tremble toujours qu'on ne parvienne à la fin à découvrir quelque secret qui fournisse une voie plus abrégée pour
faire périr les hommes, détruire les peuples et les nations
entières.

Tu as lu les historiens; fais-y bien attention : presque
toutes les monarchies n'ont été fondées que sur l'ignorance
des arts et n'ont été détruites que parce qu'on les a trop
cultivés. L'ancien empire de Perse peut nous en fournir
un exemple domestique[2].

Il n'y a pas longtemps que je suis en Europe; mais j'ai
ouï parler à des gens sensés des ravages de la chimie : il
semble que ce soit un quatrième fléau qui ruine les hommes
et les détruit en détail, mais continuellement; tandis que
la guerre, la peste, la famine, les détruisent en gros, mais
par intervalles.

---

1. Sur la liste des pensions; Chapelain s'était placé en tête, avec la plus
grosse somme; 2. *Domestique :* tiré de notre propre histoire.

Que nous a servi l'invention de la boussole et la découverte de tant de peuples, qu'à[1] nous communiquer leurs maladies, plutôt que leurs richesses? L'or et l'argent avaient été établis, par une convention générale, pour être le prix de toutes les marchandises et un gage de leur valeur, par la raison que ces métaux étaient rares et inutiles à tout autre usage. Qu'importait-il donc qu'ils devinssent plus communs, et que, pour marquer la valeur d'une denrée, nous eussions deux ou trois signes[2] au lieu d'un? Cela n'en était que plus incommode.

Mais, d'un autre côté, cette invention a été bien pernicieuse aux pays qui ont été découverts. Les nations entières ont été détruites, et les hommes qui ont échappé à la mort ont été réduits à une servitude si rude que le récit en fait frémir les musulmans.

Heureuse l'ignorance des enfants de Mahomet! Aimable simplicité, si chérie de notre saint prophète, vous me rappelez toujours la naïveté des anciens temps et la tranquillité qui régnait dans le cœur de nos premiers pères!

De Venise, le 2 de la lune de Rhamazan, 1717.

---

1. Sinon à ; **2.** *Signes* monétaires.

MONTESQUIEU ET L'HISTOIRE ROMAINE

« Rome antique et moderne m'a toujours enchanté », dit Montesquieu : son esprit politique et juridique s'y complaît. En 1716, il lit à l'académie de Bordeaux sa *Dissertation sur la politique des Romains dans la religion*. La thèse est très simple : la religion romaine est une invention des rois et des patriciens pour tenir la plèbe sous leur domination. Il semble s'être arrêté à cette idée toute politique, car, dans les *Considérations*, il ne parlera plus de la religion romaine.

En 1722, il compose son *Dialogue de Sylla et d'Eucrate*. Si la pensée était précise et absolue dans la dissertation de 1716, ici, lecture faite, nous ne savons plus au juste quoi penser; c'est une étude psychologique; mais est-elle favorable à Sylla ou non? Selon Villemain, Napoléon, assistant à une explication du dialogue, s'est montré dur : « Quelle est la morale de ce parlage magnifique? Aucune. »

DISSERTATION SUR LA POLITIQUE DES ROMAINS DANS LA RELIGION

LUE A L'ACADÉMIE DE BORDEAUX LE 18 JUIN 1716

Quand les législateurs romains établirent la religion, ils ne pensèrent point à la réformation des mœurs, ni à donner des principes de morale; ils ne voulurent point gêner des gens qu'ils ne connaissaient pas encore. Ils n'eurent donc d'abord qu'une vue générale, qui était d'inspirer à un peuple qui ne craignait rien, la crainte des dieux, et de se servir de cette crainte pour le conduire à leur fantaisie[1]. [...]

1. C'est la thèse soutenue ici.

Les devins ne pouvaient rien prononcer sur les affaires publiques sans la permission des magistrats; leur art était absolument subordonné à la volonté du sénat; et cela avait été ainsi ordonné par les livres des pontifes, dont Cicéron nous a conservé quelques fragments[1].

Polybe met la superstition au rang des avantages que le peuple romain avait par-dessus les autres peuples : ce qui paraît ridicule aux sages est nécessaire pour les sots; et ce peuple, qui se met si facilement en colère, a besoin d'être arrêté par une puissance invisible.

Les augures et les haruspices[2] étaient proprement les grotesques du paganisme; mais on ne les trouvera point ridicules, si on fait réflexion que, dans une religion toute populaire comme celle-là, rien ne paraissait extravagant; la crédulité du peuple réparait tout chez les Romains : plus une chose était contraire à la raison humaine, plus elle leur paraissait divine. Une vérité simple ne les aurait pas vivement touchés : il leur fallait des sujets d'admiration[3], il leur fallait des signes de la divinité; et ils ne les trouvaient que dans le merveilleux et le ridicule[4].

C'était, à la vérité, une chose extravagante de faire dépendre le salut de la république de l'appétit sacré d'un poulet, et de la disposition des entrailles des victimes; mais ceux qui introduisirent ces cérémonies en connaissaient bien le fort et le faible, et ce ne fut que par de bonnes raisons qu'ils péchèrent contre la raison même. Si ce culte avait été plus raisonnable, les gens d'esprit en auraient été la dupe aussi bien que le peuple, et par là on aurait perdu tout l'avantage qu'on pouvait en attendre : il fallait donc des cérémonies qui pussent entretenir la superstition des uns et entrer dans la politique des autres; c'est ce qui se trouvait dans les divinations; on y mettait les arrêts du Ciel dans la bouche des principaux sénateurs, gens éclairés, et qui connaissaient également le ridicule et l'utilité des divinations. [...]

Les magistrats jugeaient à leur fantaisie de la bonté des auspices, et ces auspices étaient une bride avec laquelle ils menaient le peuple. [...]

Comme les magistrats se trouvaient maîtres des présages,

---

1. Voir le *De divinatione* ; **2.** Les *augures* observent le vol des oiseaux; les *haruspices* examinent les entrailles; **3.** *Admiration :* étonnement; **4.** Remarquer l'association de ces deux mots.

ils avaient un moyen sûr pour détourner le peuple d'une guerre qui aurait été funeste, ou pour lui en faire entreprendre une qui aurait pu être utile. Les devins qui suivaient toujours les armées, et qui étaient plutôt les interprètes du général que des dieux, inspiraient de la confiance aux soldats. Si par hasard quelque mauvais présage avait épouvanté l'armée, un habile général en convertissait[1] le sens, et se le rendait favorable : ainsi Scipion, qui tomba en sautant de son vaisseau sur le rivage d'Afrique, prit de la terre dans ses mains : « Je te tiens, dit-il, ô terre d'Afrique! » et par ces mots il rendit heureux un présage qui avait paru si funeste.

Les Siciliens, s'étant embarqués pour faire quelque expédition en Afrique, furent si épouvantés d'une éclipse de soleil, qu'ils étaient sur le point d'abandonner leur entreprise; mais le général leur représenta[2] « qu'à la vérité cette éclipse eût été de mauvais augure si elle eût paru avant leur embarquement, mais que, puisqu'elle n'avait paru qu'après, elle ne pouvait menacer que les Africains ». Par là il fit cesser leur frayeur, et trouva dans un sujet de crainte le moyen d'augmenter leur courage.

César fut averti plusieurs fois par les devins de ne point passer en Afrique avant l'hiver. Il ne les écouta pas, et prévint par là ses ennemis, qui, sans cette diligence, auraient eu le temps de réunir leurs forces.

Crassus, pendant un sacrifice, ayant laissé tomber son couteau des mains, on en prit un mauvais augure; mais il rassura le peuple en lui disant : « Bon courage! au moins mon épée ne m'est jamais tombée des mains. »

Lucullus étant près de donner bataille à Tigrane[3], on vint lui dire que c'était un jour malheureux. « Tant mieux, dit-il : nous le rendrons heureux par notre victoire. » [...]

Scévola, grand pontife, et Varron[4], un de leurs grands théologiens, disaient qu'il était nécessaire que le peuple ignorât beaucoup de choses vraies, et en crût beaucoup de fausses. Saint Augustin dit que Varron avait découvert par là tout le secret des politiques et des ministres d'État.

Le même Scévola, au rapport de saint Augustin, divisait les dieux en trois classes : ceux qui avaient été établis par

---

1. *Convertir :* retourner, changer complètement; **2.** *Représenter :* expliquer sur un ton de reproche; **3.** *Tigrane :* roi d'Arménie (89-36 av. J.-C.); **4.** *Varron :* érudit latin (116-27 av. J.-C.), auteur du *De re rustica*.

les poètes; ceux qui avaient été établis par les philosophes; et ceux qui avaient été établis par les magistrats : *a principibus civitatis.*

Ceux qui lisent l'histoire romaine, et qui sont un peu clairvoyants, trouvent à chaque pas des traits de la politique dont nous parlons. Ainsi on voit Cicéron, qui, en particulier et parmi ses amis, fait à chaque moment une confession d'incrédulité, parler en public avec un zèle extraordinaire contre l'impiété de Verrès. On voit un Clodius, qui avait insolemment profané les mystères de la Bonne déesse[1], et dont l'impiété avait été marquée par vingt arrêts du sénat, faire lui-même une harangue remplie de zèle à ce sénat qui l'avait foudroyé, contre le mépris des pratiques anciennes et de la religion. On voit un Salluste, le plus corrompu de tous les citoyens, mettre à la tête de ses ouvrages une préface digne de la gravité et de l'austérité de Caton. Je n'aurais jamais fait si je voulais épuiser tous les exemples. [...]

[...] La politique qui régnait dans la religion des Romains se développa encore mieux dans leurs victoires. Si la superstition avait été écoutée, on aurait porté chez les vaincus les dieux des vainqueurs; on aurait renversé leurs temples; et, en établissant un nouveau culte, on leur aurait imposé une servitude plus rude que la première. On fit mieux : Rome se soumit elle-même aux divinités étrangères; elle les reçut dans son sein; et par ce lien, le plus fort qui soit parmi les hommes, elle s'attacha des peuples qui la regardèrent plutôt comme le sanctuaire de la religion que comme la maîtresse du monde. [...]

---

1. Cérès et les mystères d'Éleusis.

DIALOGUE DE SYLLA ET D'EUCRATE[1]
(1722)

[...] « Eucrate[2], me dit-il, je n'eus jamais cet amour domi-
nant pour la patrie, dont nous trouvons tant d'exemples dans
les premiers temps de la république : et j'aime autant Corio-
lan, qui porte la flamme et le fer jusqu'aux murailles de sa
ville ingrate, qui fait repentir chaque citoyen de l'affront
que lui a fait chaque citoyen, que celui qui chassa les Gaulois
du Capitole[3]. Je ne me suis jamais piqué d'être l'esclave ni
l'idolâtre de la société de mes pareils : et cet amour tant
vanté est une passion trop populaire pour être compatible
avec la hauteur de mon âme. Je me suis uniquement conduit
par mes réflexions, et surtout par le mépris que j'ai eu pour
les hommes. On peut juger, par la manière dont j'ai traité
le seul grand peuple de l'univers, de l'excès de ce mépris
pour tous les autres.

« J'ai cru qu'étant sur la terre, il fallait que j'y fusse libre.
Si j'étais né chez les barbares, j'aurais moins cherché à
usurper le trône pour commander que pour ne pas obéir.
Né dans une république, j'ai obtenu la gloire des conquérants en ne cherchant que celle des hommes libres.

« Lorsqu'avec mes soldats je suis entré dans Rome[4], je
ne respirais ni la fureur ni la vengeance. J'ai jugé sans
haine, mais aussi sans pitié, les Romains étonnés. « Vous
étiez libres, ai-je dit, et vous vouliez vivre en esclaves ! Non.
Mais mourez, et vous aurez l'avantage de mourir citoyens
d'une ville libre[5]. »

« J'ai cru qu'ôter la liberté à une ville dont j'étais citoyen
était le plus grand des crimes. J'ai puni ce crime-là; et je
ne me suis point embarrassé si je ferais le bon ou le mauvais
génie de la république. Cependant le gouvernement de nos
pères a été rétabli; le peuple a expié tous les affronts qu'il
avait faits aux nobles : la crainte a suspendu les jalousies;
et Rome n'a jamais été si tranquille[6].

---

1. Composé en 1722, paru dans *le Mercure de France* en 1745; **2.** Personnage
imaginaire; **3.** Manlius, en 390 avant J.-C.; **4.** Sylla, privé de son commandement contre Mithridate, entre dans Rome à la tête de son armée et oblige
Marius à en sortir (87 av. J.-C.). Il part de nouveau, impose la paix à Mithridate, et rentre dans Rome, où il se fait nommer dictateur (82). Il abdique en 79
et meurt la même année; **5.** C'était un sarcasme; **6.** Il a donc forcé les
Romains à être libres et paisibles.

« Vous voilà instruit de ce qui m'a déterminé à toutes les sanglantes tragédies que vous avez vues. Si j'avais vécu dans ces jours heureux de la république où les citoyens, tranquilles dans leurs maisons, y rendaient aux dieux une âme libre, vous m'auriez vu passer ma vie dans cette retraite, que je n'ai obtenue que par tant de sang et de sueur.

— Seigneur, lui dis-je, il est heureux que le ciel ait épargné au genre humain le nombre des hommes tels que vous. Nés pour la médiocrité, nous sommes accablés par les esprits sublimes. Pour qu'un homme soit au-dessus de l'humanité, il en coûte trop cher à tous les autres[1].

« Vous avez regardé l'ambition des héros comme une passion commune, et vous n'avez fait cas que de l'ambition qui raisonne. Le désir insatiable de dominer, que vous avez trouvé dans le cœur de quelques citoyens, vous a fait prendre la résolution d'être un homme extraordinaire : l'amour de votre liberté vous a fait prendre celle d'être terrible et cruel. Qui dirait qu'un héroïsme de principe[2] eût été plus funeste qu'un héroïsme d'impétuosité ? Mais si, pour vous empêcher d'être esclave, il vous a fallu usurper la dictature, comment avez-vous osé la rendre ? Le peuple romain, dites-vous, vous a vu désarmé, et n'a point attenté sur votre vie. C'est un danger auquel vous avez échappé ; un plus grand danger peut vous attendre. Il peut vous arriver de voir quelque jour un grand criminel jouir de votre modération, et vous confondre dans la foule d'un peuple soumis.

— J'ai un nom, me dit-il ; et il me suffit pour ma sûreté et celle du peuple romain. Ce nom arrête toutes les entreprises ; et il n'y a point d'ambition qui n'en soit épouvantée. Sylla respire, et son génie est plus puissant que celui de tous les Romains. Sylla a autour de lui Chéronée, Orchomène et Signion[3] ; Sylla a donné à chaque famille de Rome un exemple domestique et terrible : chaque Romain m'aura toujours devant les yeux ; et, dans ses songes même, je lui apparaîtrai couvert de sang ; il croira voir les funestes tables, et lire son nom à la tête[4] des proscrits. On murmure en secret contre mes lois ; mais elles ne seront pas effacées par des flots même de sang romain. Ne suis-je pas

---

1. Belle maxime : c'est Montesquieu qui parle ; 2. C'est l'héroïsme de Sylla, l'ambition qui raisonne ; 3. Ses victoires sont sa garde, comme aussi les tables de proscription ; il a la gloire militaire, et il fait peur ; 4. En tête de.

DIALOGUE DE SYLLA ET D'EUCRATE — 67

au milieu de Rome? Vous trouverez encore chez moi le
javelot que j'avais à Orchomène, et le bouclier que je portais sur les murailles d'Athènes. Parce que je n'ai point de
licteurs[1], en suis-je moins Sylla? J'ai pour moi le sénat,
avec la justice et les lois; le sénat a pour lui mon génie,
ma fortune et ma gloire.

« J'avoue, lui dis-je, que, quand on a une fois fait trembler quelqu'un, on conserve presque toujours quelque
chose de l'avantage qu'on a pris.

— Sans doute, me dit-il. J'ai étonné[2] les hommes, et
c'est beaucoup. Repassez dans votre mémoire l'histoire de
ma vie, vous verrez que j'ai tout tiré de ce principe, et qu'il
a été l'âme de toutes mes actions. Ressouvenez-vous de
mes démêlés avec Marius[3] : je fus indigné de voir un homme
sans nom, fier de la bassesse de sa naissance, entreprendre
de ramener les premières familles de Rome dans la foule
du peuple; et, dans cette situation, je portais tout le poids
d'une grande âme. J'étais jeune, et je me résolus de me
mettre en état de demander compte à Marius de ses mépris.
Pour cela, je l'attaquai avec ses propres armes, c'est-à-dire
par des victoires contre les ennemis de la république.

« Lorsque, par le caprice du sort, je fus obligé de sortir
de Rome, je me conduisis de même; j'allai faire la guerre
à Mithridate, et je crus détruire Marius à force de vaincre
l'ennemi de Marius. Pendant que je laissais ce Romain jouir
de son pouvoir sur la populace, je multipliais ses mortifications[4]; et je le forçais tous les jours d'aller au Capitole
rendre grâces aux dieux des succès dont je le désespérais.
Je lui faisais une guerre de réputation plus cruelle cent fois
que celle que mes légions faisaient au roi barbare. Il ne
sortait pas un seul mot de ma bouche qui ne marquât
mon audace; et mes moindres actions, toujours superbes,
étaient pour Marius de funestes présages. Enfin Mithridate
demanda la paix : les conditions étaient raisonnables; et,
si Rome avait été tranquille, ou si ma fortune n'avait pas
été chancelante, je les aurais acceptées. Mais le mauvais

---

1. *Licteurs* : officiers portant les faisceaux devant un haut magistrat; au
milieu était la hache, quand ce magistrat avait l'*imperium* ; 2. *Etonner* : frapper
d'admiration et de surprise (sens fort de la langue classique); 3. Sylla
avait été, en Afrique, le questeur de Marius, issu du peuple. Le même
Marius fit enlever à Sylla son commandement contre Mithridate et se fit
substituer à lui par un plébiscite. C'est alors que Sylla marcha sur Rome
(voir plus haut); 4. *Mortifications* : contrariétés qui portent la mort dans l'âme.

état de mes affaires m'obligea de les rendre plus dures; j'exigeai qu'il détruisît sa flotte, et qu'il rendît aux rois ses voisins tous les États dont il les avait dépouillés. « Je te laisse, lui dis-je, le royaume de tes pères, à toi qui devrais me remercier de ce que je te laisse la main avec laquelle tu as signé l'ordre de faire mourir en un jour cent mille Romains. » Mithridate resta immobile, et Marius, au milieu de Rome, en trembla.

« Cette même audace qui m'a si bien servi contre Mithridate, contre Marius, contre son fils[1], contre Télésinus, contre le peuple; qui a soutenu toute ma dictature, a aussi défendu ma vie le jour que je l'ai quittée; et ce jour assure ma liberté pour jamais.

— Seigneur, lui dis-je, Marius raisonnait comme vous, lorsque, couvert du sang de ses ennemis et de celui des Romains[2], il montrait cette audace que vous avez punie. Vous avez bien pour vous quelques victoires de plus, et de plus grands excès. Mais, en prenant la dictature, vous avez donné l'exemple du crime que vous avez puni. Voilà l'exemple qui sera suivi, et non pas celui d'une modération qu'on ne fera qu'admirer[3].

« Quand les dieux ont souffert que Sylla se soit impunément fait dictateur dans Rome, ils y ont proscrit la liberté pour jamais. Il faudrait qu'ils fissent trop de miracles pour arracher à présent du cœur de tous les capitaines romains l'ambition de régner. Vous leur avez appris qu'il y avait une voie bien plus sûre pour aller à la tyrannie, et la garder sans péril. Vous avez divulgué ce fatal secret, et ôté ce qui fait seul les bons citoyens d'une république trop riche et trop grande, le désespoir de ne pouvoir l'opprimer. »

Il changea de visage, et se tut un moment. « Je ne crains, me dit-il avec émotion, qu'un homme[4], dans lequel je crois voir plusieurs Marius. Le hasard, ou bien un destin plus fort, me l'a fait épargner. Je le regarde sans cesse; j'étudie son âme : il y cache des desseins profonds; mais, s'il ose jamais former celui de commander à des hommes que j'ai faits mes égaux, je jure par les dieux que je punirai son insolence. »

---

1. Marius étant mort (13 janvier 86), son fils et Télésinus prirent la tête du parti populaire; 2. Quand Marius rentra dans Rome, il y eut de grands massacres, qui s'étendirent en Italie; 3. Cf. p. 57, note 5; 4. Jules César. Sylla songeait à le faire périr. Peut-être n'a-t-il pas osé.

Frontispice de l'édition de 1748 des *Considérations*.

CONSIDÉRATIONS SUR LES CAUSES DE LA GRANDEUR DES ROMAINS ET DE LEUR DÉCADENCE
1734

NOTICE

Ce qui se passait en 1734. — EN POLITIQUE : *Continuation de la Guerre de la succession de Pologne ; siège et prise de Philippsbourg, où est tué Berwick (12 juin). Capitulation de Dantzig, assiégée par les Russes (juillet). Défaite des Impériaux, à Guastalla (septembre).*

EN LITTÉRATURE : *Histoire critique de l'établissement de la monarchie française dans les Gaules, par l'abbé Dubos ; Lettres philosophiques de Voltaire.*

DANS LES ARTS : *Servandoni travaille, depuis 1733, à la façade de Saint-Sulpice. Construction de l'abbaye de Saint-Waast, à Arras. On tisse aux Gobelins, de 1735 à 1745, la tenture des Chasses de Louis XV, sur les cartons d'Oudry. Lemoyne travaille à Versailles au Salon d'Hercule.*

Sources des « Considérations ». — Les *Considérations* sont un grand ouvrage qui a nécessité une large documentation. Les sources de Montesquieu sont nombreuses. Les *Histoires* de Polybe viennent au premier rang. Tous les historiens latins ont été mis à contribution : Salluste, Tite-Live et Tacite en particulier; mais les sources plus récentes sont également nombreuses : l'Italien Flavio Blondi (XVᵉ siècle) : *De Roma triumphante libri decem*, et *Historiarum ab inclinato Imperio romano decades tres ;* Machiavel : *Discours politique sur la première décade de Tite-Live ;* Paruta Paolo, Vénitien : *Discorsi politici* (1579); — Walter Moyle, Anglais : *Essay on the Constitution of the roman Government* (1726); — Saint-Évremond : *Réflexions sur les divers génies du peuple romain* (1663); Bossuet : *Discours sur l'Histoire universelle* : « les Empires » (1681); Le Nain de Tillemont : *Histoire des empereurs* (1690); l'abbé Vertot : *Histoire des révolutions arrivées dans la République romaine* (1716).

Le meilleur de ces ouvrages est celui de Bossuet; c'est une étude synthétique, qui tient une cinquantaine de pages dans le *Discours sur l'Histoire universelle*. Il semble que Bossuet soit allé au fond de l'âme romaine, et les causes de la décadence sont indiquées avec une précision remarquable. En face, Montesquieu apparaît comme un esprit analytique. Cet esprit se voit même dans la division de l'ouvrage : huit chapitres sont consacrés à la grandeur, et quinze à la décadence de Rome, c'est-à-dire le double par la longueur des chapitres.

Montesquieu, comme Bossuet, accepte l'histoire de Rome telle que l'avaient construite les Romains de l'époque de César et d'Auguste, l'histoire de Tite-Live. C'est seulement en 1738 que Louis de Beaufort écrit sa *Dissertation sur l'incertitude des cinq premiers siècles de Rome*.

Ni Montesquieu ni Bossuet n'ont vu l'influence de la religion, soit dans les causes de la grandeur romaine (la religion du foyer, celui de l'État et celui de la *gens*), soit dans les causes de la décadence (le christianisme, qui oppose *la Cité de Dieu* à *la Cité antique*).

Plan des « Considérations ». — Chapitres I-III. Montesquieu étudie la Rome primitive, montre l'intelligence de ses lois, la continuité des guerres qui entretient la discipline, la force de la légion — qui est un corps d'armée complet —, l'adresse des Romains à s'approprier ce qu'ils trouvaient bon chez leurs ennemis.

Chapitres IV-V. Deux adversaires des Romains : les Gaulois, ensuite les Carthaginois. Victoire des Romains.

Chapitres VI-VII. Remarquable analyse de la politique des Romains, qui prend définitivement corps après la ruine de Carthage. Mithridate est le dernier roi qui ait mis Rome en danger.

Chapitres VIII-XII. Les divisions qui furent dans la Ville ont été utiles à sa grandeur. Elles entretenaient l'activité civique des Romains, leur *vertu*, et créaient une sorte d'équilibre dans l'État. Bossuet n'avait vu dans ces dissensions qu'une cause de ruine. Pour Montesquieu, deux choses ont perdu Rome : la grandeur de l'Empire, c'est-à-dire l'extension territoriale due aux conquêtes, et la grandeur de la Ville, c'est-à-dire l'extension du droit de cité à un nombre croissant de provinciaux; d'où la corruption des Romains et les guerres civiles. Sylla ruine la discipline et amollit les armées. César tué n'en a pas moins tué la liberté.

Chapitres XIII-XVIII. Auguste établit l'ordre, abolit les triomphes, entretient la paix, crée des établissements fixes pour les camps et pour la marine. Après lui le despotisme fait des progrès. Le stoïcien Montesquieu rend haute justice à l'empereur stoïcien Marc-Aurèle. Le chapitre XVII est un tableau des *Changements dans l'État*, et le chapitre XVIII expose les *Nouvelles Maximes prises par les Romains*.

Chapitres XIX-XXIII. Les Romains perdent leur discipline militaire. Rome est menacée par les barbares; l'Empire d'Occident tombe le premier; l'Empire d'Orient dure, mais il n'est plus qu'un fantôme d'empire.

Intérêt des « Considérations ». — Montesquieu inaugure dans les *Considérations* la méthode qu'il appliquera en grand dans *l'Esprit des lois :* une sorte de déterminisme historique. Telles causes étant données, agissant et réagissant les unes sur les autres, il doit en résulter nécessairement telles conséquences. L'histoire d'un peuple ou d'une époque devient un problème de mécanique, un jeu de forces, d'actions et de réactions, aboutissant à des effets nécessaires : « Il y a des causes générales, soit morales, soit physiques qui agissent dans chaque monarchie, l'élèvent, la maintiennent ou la précipitent ; *tous les accidents sont soumis à ces causes*, et si le hasard d'une bataille, c'est-à-dire une cause particulière, a ruiné un État, il y avait une cause générale qui faisait que cet État *devait* périr par une seule bataille. » La méthode est dangereuse : cette cause générale est un ensemble de forces ; or, ces forces, l'historien est-il sûr de les découvrir toutes et peut-il les évaluer au juste ? Que plusieurs de ces forces lui échappent, ou même une seule, la résultante est faussée. Ces remarques valent pour les chapitres IX et XVIII, cités ici.

Lorsque Montesquieu suppose le problème résolu et que de la résultante il remonte aux forces efficientes, quand, par exemple, le monde étant conquis, il veut nous expliquer cette conquête, il établit tout un jeu savant, tout un code de la politique romaine, comme s'il eût été rédigé d'avance, une fois pour toutes. Or, les Romains ont tâtonné, ils ont commis des fautes, et ce code s'est formé peu à peu à travers mille et mille erreurs (ch. VI).

Et puis, cette antiquité nous est insuffisamment connue pour que cette méthode lui soit appliquée. Nous ne connaissons pour ainsi dire pas les peuples contre lesquels Rome eut d'abord à combattre autour d'elle, puis dans l'Italie du Nord. S'agit-il de la politique intérieure de la cité, ce sont d'autres incertitudes. Un chapitre des *Considérations* (VIII) : « Des divisions qui furent toujours dans la Ville », échappe au déterminisme de Montesquieu : il aurait fallu connaître à fond les conditions sociales et économiques qui ont été faites à Rome dans le cours de son histoire ; or, c'est impossible. Nous avons quelques lueurs, mais, sur ces questions complexes, qui peut dire que même aujourd'hui nous possédions des connaissances complètes ?

Ces quelques réflexions pourront servir dans la lecture des *Considérations*, sans diminuer Montesquieu. Il a écrit un livre qui répond exactement à son titre, *Considérations*, riche en analyses et fertile en réflexions. Après lui, il restait à dire l'influence de la religion dans la formation de la Rome primitive, et aussi à étudier les empreintes profondes qu'ont laissées chez les peuples, à la dissolution de l'Empire, les institutions et les lois romaines. Ce fut l'œuvre de Fustel de Coulanges : *la Cité antique* (1864) ; *Histoire des institutions politiques de l'ancienne France* (1875-1892).

ANALYSE DES *CONSIDÉRATIONS*
(PAR M. MONTESQUIEU, OU PEUT-ÊTRE LE P. CASTEL?)

Grandeur des Romains ; causes de son agrandissement (I-VIII).

1º Les triomphes ;

2º L'adoption qu'ils faisaient des usages étrangers qu'ils jugeaient préférables aux leurs ;

3º La capacité de ses lois ;

4º L'intérêt qu'avaient les consuls de se conduire en gens d'honneur pendant leur consulat ;

5º La distribution du butin aux soldats, et des terres conquises aux citoyens ;

6º Continuité des guerres ;

7º Leur constance à toute épreuve, qui les préservait des découragements ;

8º Leur habileté à détruire leurs ennemis les uns par les autres ;

9º L'excellence du gouvernement, dont le plan fournissait des moyens de corriger les abus.

Décadence de la grandeur romaine : ses causes (IX-XXIII).

1º Les guerres dans les pays lointains ;

2º La concession du droit de bourgeoisie romaine à tous ses alliés ;

3º L'insuffisance de ses lois dans son état de grandeur ;

4º Dépravation des mœurs ;

5º L'abolition des triomphes ;

6º Invasion des Barbares dans l'Empire ;

7º Troupes de Barbares auxiliaires incorporées en trop grand nombre dans les armées romaines.

ANALYSE DES *CONSIDÉRATIONS*
PAR D'ALEMBERT[1]

M. de Montesquieu trouve les causes de la grandeur romaine dans l'amour de la liberté, du travail et de la patrie, qu'on leur inspirait dès l'enfance; dans la sévérité de la discipline militaire; dans ces dissensions intestines, qui donnaient du ressort aux esprits, et qui cessaient tout à coup à la vue de l'ennemi; dans cette constance après le malheur, qui ne désespérait jamais de la république; dans le principe où ils furent toujours de ne jamais faire la paix qu'après des victoires; dans l'honneur du triomphe, sujet d'émulation pour les généraux; dans la protection qu'ils accordaient aux peuples révoltés contre leurs rois; dans l'excellente politique de laisser aux vaincus leurs dieux et leurs coutumes; dans celle de n'avoir jamais deux puissants ennemis sur les bras, et de tout souffrir de l'un jusqu'à ce qu'ils eussent anéanti l'autre.

Il trouve les causes de leur décadence dans l'agrandissement même de l'État, qui changea en guerres civiles les tumultes populaires; dans les guerres éloignées qui, forçant les citoyens à une trop longue absence, leur faisaient perdre insensiblement l'esprit républicain; dans le droit de bourgeoisie accordé à tant de nations, et qui ne fit plus du peuple romain qu'une espèce de monstre à plusieurs têtes; dans la corruption introduite par le luxe de l'Asie; dans les proscriptions de Sylla, qui avilirent l'esprit de la nation, et la préparèrent à l'esclavage; dans la nécessité où les Romains se trouvèrent de souffrir des maîtres, lorsque leur liberté leur fut devenue à charge; dans l'obligation où ils furent de changer de maximes en changeant de gouvernement; dans cette suite de monstres qui régnèrent, presque sans interruption, depuis Tibère jusqu'à Nerva, et depuis Commode jusqu'à Constantin; enfin, dans la translation et le partage ce l'Empire, qui périt d'abord en Occident par la puissance des Barbares, et qui, après avoir langui plusieurs siècles en Orient sous des empereurs imbéciles[2] et féroces, s'anéantit insensiblement, comme ces fleuves qui disparaissent dans les sables.

---

1. *Encyclopédie* (t. V, *Eloge de Montesquieu*, 1755); **2.** *Imbécile :* Faible (sens du latin *imbecillis*).

CHAPITRE VI

DE LA CONDUITE QUE LES ROMAINS TINRENT POUR SOUMETTRE TOUS LES PEUPLES

Dans le cours de tant de prospérités, où l'on se néglige pour l'ordinaire, le sénat agissait toujours avec la même profondeur; et, pendant que les armées consternaient[1] tout, il tenait à terre ceux qu'il trouvait abattus.

Il s'érigea en tribunal qui jugea tous les peuples : à la fin de chaque guerre, il décidait des peines et des récompenses que chacun avait méritées. Il ôtait une partie du domaine du peuple vaincu pour la donner aux alliés; en quoi il faisait deux choses : il attachait à Rome des rois dont elle avait peu à craindre et beaucoup à espérer; et il en affaiblissait d'autres dont elle n'avait rien à espérer, et tout à craindre.

On se servait des alliés pour faire la guerre à un ennemi; mais, d'abord[2], on détruisait les destructeurs[3]. Philippe[4] fut vaincu par le moyen des Étoliens, qui furent anéantis d'abord après pour s'être joints à Antiochus[5]. Antiochus fut vaincu par le secours des Rhodiens; mais, après qu'on leur eut donné des récompenses éclatantes, on les humilia pour jamais, sous prétexte qu'ils avaient demandé qu'on fît la paix avec Persée[6].

Quand ils avaient plusieurs ennemis sur les bras, ils accordaient une trêve au plus faible, qui se croyait heureux de l'obtenir, comptant pour beaucoup d'avoir différé sa ruine.

Lorsque l'on était occupé à une grande guerre, le sénat dissimulait toutes sortes d'injures, et attendait, dans le silence, que le temps de la punition fût venu; que si quelque peuple lui envoyait les coupables, il refusait de les punir, aimant mieux tenir toute la nation pour criminelle, et se réserver une vengeance utile.

Comme ils faisaient à leurs ennemis des maux inconcevables, il ne se formait guère de ligues contre eux; car celui

---

1. *Consterner* : au sens propre, abattre; 2. Aussitôt après; 3. Les alliés; 4. *Philippe* : roi de Macédoine (220-178 av. J.-C.), allié d'Annibal contre les Romains; 5. *Antiochus* : roi de Syrie (222-188 av. J.-C.), allié d'Annibal; 6. *Persée* : dernier roi de Macédoine, vaincu à Pydna par Paul-Émile en 167 avant J.-C.

qui était le plus éloigné du péril ne voulait pas en approcher.

Par là ils recevaient rarement la guerre[1], mais la faisaient toujours dans le temps, de la manière et avec ceux qu'il leur convenait; et, de tant de peuples qu'ils attaquèrent, il y en a bien peu qui n'eussent souffert toutes sortes d'injures si l'on avait voulu les laisser en paix.

Leur coutume étant de parler toujours en maîtres, les ambassadeurs qu'ils envoyaient chez les peuples qui n'avaient point encore senti leur puissance étaient sûrement maltraités : ce qui était un prétexte sûr pour faire une nouvelle guerre[2].

Comme ils ne faisaient jamais la paix de bonne foi, et que, dans le dessein d'envahir tout, leurs traités n'étaient proprement que des suspensions de guerre, ils y mettaient des conditions qui commençaient toujours la ruine de l'État qui les acceptait. Ils faisaient sortir les garnisons des places fortes, ou bornaient le nombre des troupes de terre, ou se faisaient livrer les chevaux ou les éléphants[3]; et si ce peuple était puissant sur la mer, ils l'obligeaient de brûler ses vaisseaux, et quelquefois d'aller habiter plus avant dans les terres[4].

Après avoir détruit les armées d'un prince, ils ruinaient ses finances par des taxes excessives, ou un tribut, sous prétexte de lui faire payer les frais de la guerre : nouveau genre de tyrannie, qui le forçait d'opprimer ses sujets, et de perdre leur amour.

Lorsqu'ils accordaient la paix à quelque prince, ils prenaient quelqu'un de ses frères ou de ses enfants en otage[5] : ce qui leur donnait le moyen de troubler son royaume à leur fantaisie. Quand ils avaient le plus proche héritier, ils intimidaient le possesseur; s'ils n'avaient qu'un prince d'un degré éloigné, ils s'en servaient pour animer les révoltes des peuples.

Quand quelque prince ou quelque peuple s'était soustrait de l'obéissance de son souverain, ils lui accordaient d'abord[6] le titre d'allié du peuple romain[7]; et par là ils le rendaient sacré et inviolable : de manière qu'il n'y avait

---

1. Lat. *recipere bellum* : être attaqué; 2. Par exemple, contre les Dalmates (157 av. J.-C.); 3. Traité avec Carthage après Zama (202 av. J.-C.); 4. Troisième Guerre punique (149-146 av. J.-C.); 5. Furent otages le fils d'Antiochus, roi de Syrie, et le fils de Philippe V de Macédoine. Voir Attale, dans la tragédie de Corneille *(Nicomède)*; 6. Aussitôt; 7. Ainsi firent-ils pour les Juifs révoltés contre Démétrius Sôter, roi de Syrie (150 av. J.-C.).

point de roi, quelque grand qu'il fût, qui pût un moment être sûr de ses sujets, ni même de sa famille.

Quoique le titre de leur allié fût une espèce de servitude, il était néanmoins très recherché; car on était sûr que l'on ne recevait d'injures que d'eux, et l'on avait sujet d'espérer qu'elles seraient moindres. Ainsi, il n'y avait point de services que les peuples et les rois ne fussent prêts de rendre, ni de bassesses qu'ils ne fissent pour l'obtenir[1]. [...]

Lorsqu'ils laissaient la liberté à quelques villes, ils y faisaient d'abord naître deux factions : l'une défendait les lois et la liberté du pays; l'autre soutenait qu'il n'y avait de lois que la volonté des Romains : et, comme cette dernière faction était toujours la plus puissante, on voit bien qu'une pareille liberté n'était qu'un nom.

Quelquefois ils se rendaient maîtres d'un pays sous prétexte de succession : ils entrèrent en Asie, en Bithynie, en Libye, par les testaments d'Attalus, de Nicomède et d'Apion; et l'Égypte fut enchaînée par celui du roi de Cyrène.

Pour tenir les grands princes toujours faibles, ils ne voulaient pas qu'ils reçussent dans leur alliance ceux à qui ils avaient accordé la leur[2], et comme ils ne la refusaient à aucun des voisins d'un prince puissant, cette condition, mise dans un traité de paix, ne lui laissait plus d'alliés.

De plus, lorsqu'ils avaient vaincu quelque prince considérable, ils mettaient dans le traité qu'il ne pourrait faire la guerre pour ses différends avec les alliés des Romains [c'est-à-dire, ordinairement, avec tous ses voisins], mais qu'il les mettrait en arbitrage; ce qui lui ôtait pour l'avenir la puissance militaire.

Et, pour se la réserver toute, ils en privaient leurs alliés même : dès que ceux-ci avaient le moindre démêlé, ils envoyaient des ambassadeurs qui les obligeaient de faire la paix. Il n'y a qu'à voir comme ils terminèrent les guerres d'Attalus et de Prusias[3].

Quand quelque prince avait fait une conquête qui souvent l'avait épuisé, un ambassadeur romain survenait d'abord, qui la lui arrachait des mains. Entre mille exemples,

---

1. Le titre d'alliés. « Ariarathe fit un sacrifice aux dieux, dit Polybe, pour les remercier de ce qu'il avait obtenu cette alliance » (M.); **2.** « Ce fut le cas d'Antiochus » (M.); **3.** *Prusias*, ayant vaincu Attale, roi de Pergame, dut rendre ses conquêtes et faire amende honorable (154 av. J.-C.).

on peut se rappeler comment, avec une parole, ils chassèrent d'Égypte Antiochus[1].

Sachant combien les peuples d'Europe étaient propres à la guerre, ils établirent comme une loi qu'il ne serait permis à aucun roi d'Asie d'entrer en Europe et d'y assujettir quelque peuple que ce fût. Le principal allié de la guerre qu'ils firent à Mithridate fut que, contre cette défense, il avait soumis quelques Barbares.

Lorsqu'ils voyaient que deux peuples étaient en guerre, quoiqu'ils n'eussent aucune alliance, ni rien à démêler avec l'un ni avec l'autre, ils ne laissaient pas de paraître sur la scène, et, comme nos chevaliers errants, ils prenaient le parti du plus faible. C'était, dit Denys d'Halicarnasse, une ancienne coutume des Romains d'accorder toujours leur secours à quiconque venait l'implorer.

Ces coutumes des Romains n'étaient point quelques faits particuliers arrivés par hasard; c'étaient des principes toujours constants; et cela se peut voir aisément : car les maximes dont ils firent usage contre les plus grandes puissances furent précisément celles qu'ils avaient employées dans les commencements contre les petites villes qui étaient autour d'eux.

Ils se servirent d'Eumènès[2] et de Massinisse pour subjuguer Philippe et Antiochus, comme ils s'étaient servis des Latins et des Herniques pour subjuguer les Volsques et les Toscans; ils se firent livrer les flottes de Carthage et des rois d'Asie, comme ils s'étaient fait donner les barques d'Antium; ils ôtèrent les liaisons politiques et civiles entre les quatre parties de la Macédoine, comme ils avaient autrefois rompu l'union des petites villes latines.

Mais surtout leur maxime constante fut de diviser. La république d'Achaïe[3] était formée par une association de villes libres : le Sénat déclara que chaque ville se gouvernerait dorénavant par ses propres lois, sans dépendre d'une autorité commune.

La république des Béotiens était pareillement une ligue de plusieurs villes; mais comme, dans la guerre contre Persée[4], les unes suivirent le parti de ce prince, les autres celui

1. *Antiochus* le Grand dut rendre à Ptolémée Épiphane le pays qu'il lui avait enlevé (192 av. J.-C.); 2. *Eumènès II*, roi lettré (198-160), enrichit la bibliothèque de Pergame; il fut l'ami des Romains; 3. Anéantie par les Romains, en 146 av. J.-C.; 4. Roi de Macédoine, vaincu à Pydna en 168 av. J.-C.

des Romains, ceux-ci les reçurent en grâce, moyennant la dissolution de l'alliance commune.

Si un grand prince[1] qui a régné de nos jours avait suivi ces maximes, lorsqu'il vit un de ses voisins détrôné, il aurait employé de plus grandes forces pour le soutenir, et le borner dans l'île[2] qui lui resta fidèle : en divisant la seule puissance qui pût s'opposer à ses desseins, il aurait tiré d'immenses avantages du malheur même de son allié.

Lorsqu'il y avait quelques disputes dans un État, ils jugeaient d'abord[3] l'affaire; et par là ils étaient sûrs de n'avoir contre eux que la partie qu'ils avaient condamnée. Si c'étaient des princes du même sang qui se disputaient la couronne, ils les déclaraient quelquefois tous deux rois[4]; si l'un d'eux était en bas âge, ils décidaient en sa faveur, et ils en prenaient la tutelle[5], comme protecteurs de l'univers. Car ils avaient porté les choses au point que les peuples et les rois étaient leurs sujets, sans savoir précisément par quel titre : étant établi que c'était assez d'avoir ouï parler d'eux pour devoir leur être soumis.

Ils ne faisaient jamais de guerres éloignées sans s'être procuré quelque allié auprès de l'ennemi qu'ils attaquaient, qui pût joindre ses troupes à l'armée qu'ils envoyaient, et, comme elle n'était jamais considérable par le nombre, ils observaient toujours d'en tenir une autre dans la province la plus voisine de l'ennemi, et une troisième dans Rome, toujours prête à marcher[6]. Ainsi ils n'exposaient qu'une très petite partie de leurs forces, pendant que leur ennemi mettait au hasard toutes les siennes.

Quelquefois ils abusaient de la subtilité des termes de leur langue. Ils détruisirent Carthage, disant qu'ils avaient promis de conserver la *cité*, et non pas la *ville*[7]. On sait comment les Étoliens, qui s'étaient abandonnés à leur foi, furent trompés : les Romains prétendirent que la signification de ces mots : *s'abandonner à la foi*[8] *d'un ennemi*, emportait la perte de toutes sortes de choses, des personnes,

---

1. Allusion à la politique de Louis XIV à l'égard de Jacques II; 2. L'Irlande; 3. Aussitôt; 4. Tels Ariarathe et Holopherne en Cappadoce; 5. Ils se firent les tuteurs du fils d'Antiochus pour ruiner la Syrie; 6. Phrase empruntée à Machiavel : *Discours politique sur les décades de Tite-Live*, II, 1; 7. C'est-à-dire l'ensemble des citoyens, et non des édifices de la ville; 8. *Foi* : parole donnée, ensuite bonne foi. L'expression, pour les Romains, signifiait : s'en remettre totalement au vainqueur.

des terres, des villes, des temples et des sépultures même.

Ils pouvaient même donner à un traité une interprétation arbitraire : ainsi, lorsqu'ils voulurent abaisser les Rhodiens, ils dirent qu'ils ne leur avaient pas donné autrefois la Lycie comme présent, mais comme amie et alliée.

Lorsqu'un de leurs généraux faisait la paix pour sauver son armée prête à périr, le Sénat, qui ne la ratifiait point, profitait de cette paix, et continuait la guerre. Ainsi, quand Jugurtha eut enfermé une armée romaine, et qu'il l'eut laissée aller sous la foi d'un traité, on se servit contre lui des troupes même qu'il avait sauvées ; et lorsque les Numantins eurent réduit vingt mille Romains, prêts à mourir de faim, à demander la paix, cette paix, qui avait sauvé tant de citoyens, fut rompue à Rome, et l'on éluda[1] la foi publique[2] en envoyant[3] le consul qui l'avait signée.

Quelquefois ils traitaient de la paix avec un prince sous des conditions raisonnables ; et lorsqu'il les avait exécutées, ils en ajoutaient de telles qu'il était forcé de recommencer la guerre. Ainsi, quand ils se furent fait livrer par Jugurtha ses éléphants, ses chevaux, ses trésors, ses transfuges, ils lui demandèrent de livrer sa personne ; chose qui, étant pour un prince le dernier des malheurs, ne peut jamais faire une condition de paix.

Enfin, ils jugèrent les rois pour leurs fautes et leurs crimes particuliers. Ils écoutèrent les plaintes de tous ceux qui avaient quelques démêlés avec Philippe ; ils envoyèrent des députés pour pourvoir à leur sûreté ; et ils firent accuser Persée devant eux pour quelques meurtres et quelques querelles avec des citoyens des villes alliées.

Comme on jugeait de la gloire d'un général par la quantité de l'or et de l'argent qu'on portait à son triomphe, il ne laissait rien à l'ennemi vaincu. Rome s'enrichissait toujours, et chaque guerre la mettait en état d'en entreprendre une autre.

Les peuples qui étaient amis ou alliés se ruinaient tous par les présents immenses qu'ils faisaient pour conserver la faveur[4], ou l'obtenir plus grande ; et la moitié de l'argent qui fut envoyé pour ce sujet aux Romains aurait suffi pour les vaincre.

---

1. *Eluder :* esquiver ; 2. La parole donnée au nom de l'État ; 3. En livrant aux Numantins ; 4. En retour, les Romains envoyaient aux rois une chaise curule, un bâton d'ivoire, quelque robe de magistrature (M.).

Maîtres de l'univers, ils s'en attribuèrent tous les trésors : ravisseurs moins injustes en qualité de conquérants qu'en qualité de législateurs. Ayant su que Ptolomée, roi de Chypre, avait des richesses immenses, ils firent une loi, sur la proposition d'un tribun, par laquelle ils se donnèrent l'hérédité d'un homme vivant, et la confiscation[1] d'un prince allié.

Bientôt la cupidité des particuliers acheva d'enlever ce qui avait échappé à l'avarice[2] publique. Les magistrats et les gouverneurs vendaient aux rois leurs injustices. Deux compétiteurs se ruinaient à l'envi pour acheter une protection toujours douteuse contre un rival qui n'était pas entièrement épuisé : car on n'avait pas même cette justice des brigands, qui portent une certaine probité dans l'exercice du crime. Enfin les droits légitimes ou usurpés ne se soutenant que par de l'argent, les princes, pour en avoir, dépouillaient les temples, confisquaient les biens des plus riches citoyens : on faisait mille crimes pour donner aux Romains tout l'argent du monde.

Mais rien ne servit mieux Rome que le respect qu'elle imprima à la terre. Elle mit d'abord les rois dans le silence, et les rendit comme stupides[3]. Il ne s'agissait pas du degré de leur puissance; mais leur personne propre était attaquée. Risquer une guerre, c'était s'exposer à la captivité, à la mort, à l'infamie du triomphe. Ainsi des rois qui vivaient dans le faste et dans les délices n'osaient jeter des regards fixes sur le peuple romain; et perdant le courage, ils attendaient de leur patience et de leurs bassesses quelque délai aux misères dont ils étaient menacés.

Remarquez, je vous prie, la conduite des Romains. Après la défaite d'Antiochus, ils étaient maîtres de l'Afrique, de l'Asie et de la Grèce, sans y avoir presque de villes en propre. Il semblait qu'ils ne conquissent que pour donner; mais ils restaient si bien les maîtres que, lorsqu'ils faisaient la guerre à quelque prince, ils l'accablaient, pour ainsi dire, du poids de tout l'univers.

Il n'était pas temps encore de s'emparer des pays conquis. S'ils avaient gardé les villes prises à Philippe, ils auraient fait ouvrir les yeux aux Grecs; si, après la seconde guerre punique, ou celle contre Antiochus, ils avaient pris des

---

1. *Confiscation* : attribution au fisc; 2. *Avarice* : avidité (sens du lat. *avaritia*); 3. *Stupide* : immobile et figé par la crainte.

terres en Afrique ou en Asie, ils n'auraient pu conserver des conquêtes si peu solidement établies.

Il fallait attendre que toutes les nations fussent accoutumées à obéir, comme libres et comme alliées, avant de leur commander comme sujettes, et qu'elles eussent été se perdre peu à peu dans la république romaine.

Voyez le traité qu'ils firent avec les Latins après la victoire du lac Régille[1] . il fut un des principaux fondements de leur puissance. On n'y trouve pas un seul mot qui puisse faire soupçonner l'empire[2].

C'était une manière lente de conquérir. On vainquait un peuple, et on se contentait de l'affaiblir; on lui imposait des conditions qui le minaient insensiblement, s'il se relevait, on l'abaissait encore davantage, et il devenait sujet sans qu'on pût donner une époque de sa sujétion.

Ainsi Rome n'était pas proprement une monarchie ou une république, mais la tête du corps formé par tous les peuples du monde.

Si les Espagnols, après la conquête du Mexique et du Pérou, avaient suivi ce plan, ils n'auraient pas été obligés de tout détruire pour tout conserver.

C'est la folie des conquérants de vouloir donner à tous les peuples leurs lois et leurs coutumes : cela n'est bon à rien, car dans toute sorte de gouvernement on est capable d'obéir.

Mais Rome n'imposant aucunes lois générales, les peuples n'avaient point entre eux de liaisons dangereuses : ils ne faisaient un corps que par une obéissance commune; et, sans être compatriotes, ils étaient tous Romains[3].

———————

CHAPITRE VIII

DES DIVISIONS QUI FURENT TOUJOURS DANS LA VILLE[4]

Pendant que Rome conquérait l'univers, il y avait dans ses murailles une guerre cachée : c'étaient des feux comme ceux de ces volcans qui sortent sitôt que quelque matière vient en augmenter la fermentation.

---

1. Les Latins y furent vaincus par les Romains en 449 avant J.-C.; **2.** *L'Empire :* la domination militaire (cf. lat. *imperium*); **3.** Tous sujets de Rome sous la République. L'œuvre de l'Empire fut de les transformer en Romains; **4.** *La Ville :* ici, la Cité.

Après l'expulsion des rois, le gouvernement était devenu aristocratique : les familles patriciennes obtenaient seules toutes les magistratures, toutes les dignités, et par conséquent tous les honneurs militaires et civils.

Les patriciens, voulant empêcher le retour des rois, cherchèrent à augmenter le mouvement[1] qui était dans l'esprit du peuple; mais ils firent plus qu'ils ne voulurent; à force de lui donner de la haine pour les rois, ils lui donnèrent un désir immodéré de la liberté. Comme l'autorité royale avait passé tout entière entre les mains des consuls, le peuple sentit que cette liberté dont on voulait lui donner tant d'amour, il ne l'avait pas : il chercha donc à abaisser le consulat, à avoir des magistrats plébéiens, et à partager avec les nobles les magistratures curules[2]. Les patriciens furent forcés de lui accorder tout ce qu'il demanda; car, dans une ville où la pauvreté était la vertu publique, où les richesses, cette voie sourde pour acquérir la puissance, étaient méprisées, la naissance et les dignités ne pouvaient pas donner de grands avantages. La puissance devait donc revenir au plus grand nombre, et l'aristocratie se changer peu à peu en un État populaire. [...]

Le peuple, mécontent des patriciens, se retira sur le Mont-Sacré[3] : on lui envoya des députés qui l'apaisèrent; et comme chacun se promit secours l'un à l'autre en cas que les patriciens ne tinssent pas les paroles données, ce qui eût causé à tous les instants des séditions, et aurait troublé toutes les fonctions des magistrats, on jugea qu'il valait mieux créer une magistrature[4] qui pût empêcher les injustices faites à un plébéien. Mais, par une maladie éternelle des hommes, les plébéiens, qui avaient obtenu des tribuns pour se défendre, s'en servirent pour attaquer; ils enlevèrent peu à peu toutes les prérogatives des patriciens : cela produisit des contestations continuelles. Le peuple était soutenu, ou plutôt animé par ses tribuns, et les patriciens étaient défendus par le sénat, qui était presque tout composé de patriciens, qui était plus porté pour les maximes anciennes, et qui craignait que la populace n'élevât à la tyrannie[5] quelque tribun.

Le peuple employait pour lui ses propres forces, et sa

---

1. *Mouvement* politique; 2. Consulat, dictature, préture, censure, édilité curule; 3. Colline sur la rive droite de l'Anio, à plus d'une lieue de Rome; 4. Le tribunat de la plèbe; 5. *Tyrannie* : pouvoir absolu, usurpé par la force.

ses menaces de se retirer, la partialité de ses lois, enfin ses
jugements contre ceux qui lui avaient fait trop de résistance.
Le sénat se défendait par sa sagesse, sa justice, et l'amour
qu'il inspirait pour la patrie; par ses bienfaits, et une sage
dispensation des trésors de la république, par le respect
que le peuple avait pour la gloire des principales familles
et la vertu des grands personnages; par la religion même,
les institutions anciennes, et la suppression des jours d'assemblée, sous prétexte que les auspices n'avaient pas été
favorables; par les clients; par l'opposition d'un tribun à
un autre; par la création d'un dictateur, les occupations
d'une nouvelle guerre, ou les malheurs qui réunissaient
tous les intérêts; enfin par une condescendance paternelle[1]
à accorder au peuple une partie de ses demandes pour lui
faire abandonner les autres, et cette maxime constante de
préférer la conservation de la république aux prérogatives
de quelque ordre ou de quelque magistrature que ce
fût.

Dans la suite des temps, lorsque les plébéiens eurent telle-
ment abaissé les patriciens que cette distinction de familles
devint vaine, et que les unes et les autres furent indiffé-
remment élevées aux honneurs, il y eut de nouvelles disputes entre le bas peuple, agité par ses tribuns, et les principales familles patriciennes ou plébéiennes, qu'on appela
les nobles[2], et qui avaient pour elles le sénat qui en était
composé. Mais comme les mœurs anciennes n'étaient plus,
que des particuliers avaient des richesses immenses, et
qu'il est impossible que les richesses ne donnent du pouvoir, les nobles résistèrent avec plus de force que les
patriciens n'avaient fait : ce qui fut cause de la mort
des Gracques et de plusieurs de ceux qui travaillèrent sur
leur plan[3].

Il faut que je parle d'une magistrature qui contribua
beaucoup à maintenir le gouvernement de Rome : ce fut
celle des censeurs. Ils faisaient le dénombrement du peuple;
et de plus, comme la force de la république consistait dans
la discipline, l'austérité des mœurs et l'observation constante
de certaines coutumes, ils corrigeaient les abus que la loi
n'avait pas prévus, ou que le magistrat ordinaire ne pouvait

---

1. Ils étaient les *patres ;* 2. *Nobles : nobiles,* ceux qui sont connus, en vue
par la naissance ou les richesses; 3. « Comme Saturninus et Glaucus. » (M.).

pas punir[1]. Il y a de mauvais exemples qui sont pires que
les crimes : et plus d'États ont péri parce qu'on a violé les
mœurs que parce qu'on a violé les lois. A Rome, tout
ce qui pouvait introduire des nouveautés dangereuses,
changer le cœur ou l'esprit du citoyen, et en[2] empêcher,
si j'ose me servir de ce terme, la perpétuité, les désordres
domestiques ou publics étaient réformés par les censeurs :
ils pouvaient chasser du sénat qui ils voulaient, ôter à un
chevalier le cheval qui lui était entretenu par le public[3],
mettre un citoyen dans une autre tribu, et même parmi ceux
qui payaient les charges de la ville sans avoir part à ses
privilèges[4].

M. Livius nota[5] le peuple même; et, de trente-cinq tribus,
il en mit trente-quatre au rang de ceux qui n'avaient point
de part aux privilèges de la Ville[6]. « Car, disait-il, après
m'avoir condamné, vous m'avez fait consul et censeur : il
faut donc que vous ayez prévariqué[7] une fois en m'infli-
geant une peine, ou deux fois, en me créant consul, et
ensuite censeur. »

M. Duronius, tribun du peuple, fut chassé du sénat par
les censeurs, parce que, pendant sa magistrature, il avait
abrogé la loi qui bornait les dépenses des festins.

C'était une institution bien sage. Ils ne pouvaient ôter
à personne une magistrature, parce que cela aurait troublé
l'exercice de la puissance publique; mais ils faisaient
déchoir de l'ordre et du rang, et ils privaient, pour ainsi
dire, un citoyen de sa noblesse particulière.

Servius Tullius avait fait la fameuse division par centuries que Tite-Live et Denys d'Halicarnasse[8] nous ont si
bien expliquée. Il avait distribué cent quatre-vingt-treize
centuries en six classes, et mis tout le bas peuple dans la

1. « On peut voir comment ils dégradèrent ceux qui, après la bataille de
Cannes, avaient été d'avis d'abandonner l'Italie; ceux qui s'étaient rendus à
Annibal; ceux qui, par une mauvaise interprétation, lui avaient manqué de
parole. » (M.); 2. De Rome; 3. C'était une *nota*, une dégradation. Les
chevaliers étaient à l'origine un corps d'élite, recruté parmi les citoyens aisés;
il y avait ceux qui se servaient d'un cheval privé, c'est-à-dire fourni par eux,
et, au-dessus, ceux qui recevaient un cheval de l'État. A la fin de la République, les chevaliers représentaient en fait une classe sociale intermédiaire
entre les patriciens et le peuple; 4. Céré, en Étrurie, avait reçu le droit de
cité sans suffrage; un citoyen de Céré, c'était un citoyen dégradé, privé de
suffrage; 5. *Noter* (au sens du lat. *notare*) : marquer d'une flétrissure; 6. Cf.
Tite-Live (XXIX, 38;) 7. *Prévariquer* : c'est le fait, pour un magistrat, de s'entendre avec l'une des parties, donc de s'écarter de son devoir; 8. *Denys
d'Halicarnasse* : historien grec, contemporain d'Auguste.

dernière œnturie, qui formait seule la sixième classe. On voit que cette disposition excluait le bas peuple du suffrage, non pas de droit, mais de fait. Dans la suite on régla qu'excepté dans quelques cas particuliers, on suivrait dans les suffrages la division par tribus. Il y en avait trente-cinq qui donnaient chacune leur voix, quatre de la ville, et trente-une de la campagne. Les principaux citoyens, tous laboureurs, entrèrent naturellement dans les tribus de la campagne; et celles de la ville reçurent le bas peuple, qui, y étant enfermé, influait très peu dans les affaires : et cela était regardé comme le salut de la république. Et quand Fabius remit dans les quatre tribus de la ville le menu peuple qu'Appius Claudius[1] avait répandu dans toutes, il en acquit le surnom de Très grand. Les censeurs jetaient les yeux tous les cinq ans sur la situation actuelle de la république, et distribuaient de manière le peuple dans ses diverses tribus, que les tribuns et les ambitieux ne pussent pas se rendre maîtres des suffrages, et que le peuple même ne pût pas abuser de son pouvoir.

Le gouvernement de Rome fut admirable en ce que, depuis sa naissance, sa constitution se trouva telle, soit par l'esprit du peuple, la force du sénat, ou l'autorité de certains magistrats, que tout abus du pouvoir y put toujours être corrigé. [...] En un mot, un gouvernement libre, c'est-à-dire toujours agité, ne saurait se maintenir s'il n'est, par ses propres lois, capable de correction.

CHAPITRE IX

DEUX CAUSES DE LA PERTE DE ROME

Lorsque la domination de Rome était bornée dans l'Italie, la république pouvait facilement subsister. Tout soldat était également citoyen; chaque consul levait une armée, et d'autres citoyens allaient à la guerre sous celui qui succédait[2]. Le nombre de troupes n'était pas excessif, on avait attention à ne recevoir dans la milice que des gens qui eussent

----

1. *Appius Claudius* : le vainqueur des Samnites, mort en 296 av. J.-C.;
2. Le consulat était annuel.

assez de bien pour avoir intérêt à la conservation de la Ville[1]. Enfin le sénat voyait de près la conduite des généraux, et leur ôtait la pensée de rien faire contre leur devoir.

Mais lorsque les légions passèrent les Alpes et la mer, les gens de guerre[2], qu'on était obligé de laisser pendant plusieurs campagnes dans les pays que l'on soumettait, perdirent peu à peu l'esprit de citoyens; et les généraux, qui disposèrent des armées et des royaumes, sentirent leur force, et ne purent plus obéir.

Les soldats commencèrent donc à ne reconnaître que leur général, à fonder sur lui toutes leurs espérances, et à voir de plus loin la Ville. Ce ne furent plus les soldats de la république, mais de Sylla, de Marius, de Pompée, de César. Rome ne put plus savoir si celui qui était à la tête d'une armée dans une province était son général ou son ennemi.

Tandis que le peuple[3] de Rome ne fut corrompu que par ses tribuns, à qui il ne pouvait accorder que sa puissance même, le sénat put aisément se défendre parce qu'il agissait constamment[4]; au lieu que la populace passait sans cesse de l'extrémité de la fougue à l'extrémité de la faiblesse. Mais quand le peuple put donner à ses favoris une formidable autorité au dehors, toute la sagesse du sénat devint inutile, et la république fut perdue.

Ce qui fait que les États libres durent moins que les autres, c'est que les malheurs et les succès qui leur arrivent leur font presque toujours perdre la liberté; au lieu que les succès et les malheurs d'un État où le peuple est soumis confirment également sa servitude. Une république sage ne doit rien hasarder qui l'expose à la bonne ou à la mauvaise fortune : le seul bien auquel elle doit aspirer, c'est à la perpétuité de son état.

Si la grandeur de l'empire[5] perdit la république, la grandeur de la Ville ne la perdit pas moins.

Rome avait soumis tout l'univers avec le secours des peuples d'Italie, auxquels elle avait donné en différents temps divers privilèges. La plupart de ces peuples ne

---

1. *La Ville* : l'État, la Cité. Les affranchis et les *capite censi* ne devaient pas de service militaire : ils n'étaient recensés que comme têtes; 2. Montesquieu veut signifier, par cette expression, qu'ils deviennent des professionnels; 3. *Le peuple* : la plèbe; 4. D'une manière constante, en restant fidèle à sa politique; 5. *Empire* : ensemble des peuples soumis à la puissance militaire *(imperium)* de Rome.

s'étaient pas d'abord fort soucié du droit de bourgeoisie[1] chez les Romains; et quelques-uns aimèrent mieux garder leurs usages[2]. Mais lorsque ce droit fut celui de la souveraineté universelle, qu'on ne fut rien dans le monde si l'on n'était citoyen romain, et qu'avec ce titre on était tout, les peuples d'Italie résolurent de périr ou d'être Romains : ne pouvant en venir à bout par leurs brigues et par leurs prières, ils prirent la voie des armes; ils se révoltèrent dans tout ce côté qui regarde la mer Ionienne; les autres alliés allaient les suivre. Rome, obligée de combattre contre ceux qui étaient pour ainsi dire les mains avec lesquelles elle enchaînait l'univers, était perdue; elle allait être réduite à ses murailles : elle accorda ce droit tant désiré aux alliés qui n'avaient pas encore cessé d'être fidèles[3]; et peu à peu elle l'accorda à tous.

Pour lors Rome ne fut plus cette ville dont le peuple n'avait eu qu'un même esprit, un même amour pour la liberté, une même haine pour la tyrannie, où cette jalousie du pouvoir du sénat et des prérogatives[4] des grands, toujours mêlée de respect, n'était qu'un amour de l'égalité. Les peuples d'Italie étant devenus ses citoyens, chaque ville y apporta son génie[5], ses intérêts particuliers, et sa dépendance de quelque grand protecteur[6]. La Ville déchirée ne forma plus un tout ensemble; et, comme on n'en était citoyen que par une espèce de fiction, qu'on n'avait plus les mêmes magistrats, les mêmes dieux, les mêmes temples, les mêmes sépultures, on ne vit plus Rome des mêmes yeux, on n'eut plus le même amour pour la patrie, et les sentiments romains ne furent plus.

Les ambitieux firent venir à Rome des villes et des nations entières pour troubler les suffrages, ou se les faire donner; les assemblées furent de véritables conjurations[7]; on appela *comices* une troupe de quelques séditieux; l'autorité du peuple, ses lois, lui-même, devinrent des choses chimériques; et l'anarchie fut telle, qu'on ne put plus savoir

1. Droit de cité; 2. Les Èques, par exemple; 3. Toscans, Ombriens et Latins. Tous ces faits se rapportent à la *Guerre sociale* (de *socii*, alliés) en 90 avant J.-C., terminée par les lois *Julia* et *Plautia Papiria*; 4. *Prérogatives :* avantages particuliers à une fonction, à une caste; 5. *Son génie :* son tempérament particulier; 6. Il s'agit du *patronus*, citoyen influent, qui a pour « clientèle » l'ensemble des citoyens d'une ville italienne, dont il défend les intérêts; en échange les clients soutiennent son influence; 7. Ainsi les bandes de Clodius et de Milon, au temps de Cicéron, troublaient les assemblées où le peuple votait, les *comices.*

si le peuple avait fait une ordonnance, ou s'il ne l'avait
point faite.

On n'entend parler, dans les auteurs, que des divisions
qui perdirent Rome; mais on ne voit pas que ces divisions
y étaient nécessaires, qu'elles y avaient toujours été, et
qu'elles y devaient toujours être[1]. Ce fut uniquement la
grandeur de la république qui fit le mal, et qui changea
en guerres civiles les tumultes[2] populaires. Il fallait bien
qu'il y eût à Rome des divisions : et ces guerriers si fiers[3],
si audacieux, si terribles au dehors, ne pouvaient pas être
bien modérés au dedans. Demander, dans un État libre,
des gens hardis dans la guerre et timides dans la paix, c'est
vouloir des choses impossibles : et, pour règle générale,
toutes les fois qu'on verra tout le monde tranquille dans
un État qui se donne le nom de république, on peut être
assuré que la liberté n'y est pas.

Ce qu'on appelle union, dans un corps politique, est une
chose très équivoque; la vraie est une union d'harmonie,
qui fait que toutes les parties, quelque opposées qu'elles
nous paraissent, concourent au bien général de la société,
comme des dissonances dans la musique concourent à l'accord total. Il peut y avoir de l'union dans un État où l'on
ne croit voir que du trouble, c'est-à-dire une harmonie
d'où résulte le bonheur, qui seul est la vraie paix. Il en est
comme des parties de cet univers, éternellement liées par
l'action des unes et la réaction des autres.

Mais, dans l'accord du despotisme asiatique[4], c'est-à-dire
de tout gouvernement qui n'est pas modéré, il y a toujours
une division réelle[5]. Le laboureur, l'homme de guerre, le
négociant, le magistrat, le noble, ne sont joints que parce
que les uns oppriment les autres sans résistance; et si l'on
y voit de l'union, ce ne sont pas des citoyens qui sont unis,
mais des corps morts ensevelis les uns auprès des autres.

Il est vrai que les lois de Rome devinrent impuissantes
pour gouverner la république; mais c'est une chose qu'on
a vue toujours, que de bonnes lois, qui ont fait qu'une
petite république devient grande, lui deviennent à charge

---

1. Idée chère à Montesquieu : ces divisions *devaient être* dans Rome pour
former sa grandeur avant de causer sa perte. Bossuet n'avait vu dans ces
divisions qu'une cause de décadence; **2.** *Tumulte* : soulèvement, prise d'armes;
3. *Fier* : farouche (sens du lat. *ferus*); **4.** *Asiatique* n'était pas dans l'édition
de 1734. Il est introduit dans l'*erratum* de la deuxième édition, même année,
peut-être par prudence; **5.** Et non plus apparente.

lorsqu'elle s'est agrandie : parce qu'elles étaient telles que leur effet naturel était de faire un grand peuple, et non pas de le gouverner.

Il y a bien de la différence entre des lois bonnes et des lois convenables, celles qui font qu'un peuple se rend maître des autres, et celles qui maintiennent sa puissance lorsqu'il l'a acquise. [...]

Rome était faite pour s'agrandir, et ses lois étaient admirables pour cela. Aussi, dans quelque gouvernement qu'elle ait été, sous le pouvoir des rois, dans l'aristocratie, ou dans l'état populaire, elle n'a jamais cessé de faire des entreprises qui demandaient de la conduite[1], et y a réussi. Elle ne s'est pas trouvée plus sage que tous les autres États de la terre en un jour, mais continuellement; elle a soutenu une petite, une médiocre, une grande fortune, avec la même supériorité, et n'a point eu de prospérités dont elle n'ait profité, ni de malheur dont elle ne se soit servie.

Elle perdit sa liberté parce qu'elle acheva trop tôt son ouvrage[2].

CHAPITRE XIII

AUGUSTE

[...] Lorsqu'Auguste avait les armes à la main, il craignait les révoltes des soldats, et non pas les conjurations des citoyens; c'est pour cela qu'il ménagea les premiers, et fut si cruel aux autres. Lorsqu'il fut en paix, il craignit les conjurations; et ayant toujours devant les yeux le destin de César, pour éviter son sort il songea à s'éloigner de sa conduite. Voilà la clef de toute la vie d'Auguste. Il porta dans le sénat une cuirasse sous sa robe; il refusa le nom de dictateur; et au lieu que César disait insolemment que la république n'était rien, et que ses paroles étaient des lois, Auguste ne parla que de la dignité du sénat, et de son respect pour la république. Il songea donc à établir le gouvernement le plus capable de plaire qui fût possible sans choquer ses intérêts; et il en fit un aristocratique, par rapport au civil;

---

1. *Conduite :* esprit de suite; 2. Recherche du trait d'esprit, fréquente chez Montesquieu.

et monarchique, par rapport au militaire; gouvernement ambigu[1], qui, n'étant pas soutenu par ses propres forces, ne pouvait subsister que tandis qu'il[2] plairait au monarque, et était entièrement monarchique par conséquent.

On a mis en question si Auguste avait eu véritablement le dessein de se démettre de l'empire. Mais qui ne voit que, s'il l'eût voulu, il était impossible qu'il n'y eût réussi? Ce qui fait voir que c'était un jeu, c'est qu'il demanda tous les dix ans qu'on le soulageât de ce poids, et qu'il le porta toujours. C'étaient de petites finesses pour se faire encore donner ce qu'il ne croyait pas avoir acquis. Je me détermine par toute la vie d'Auguste; et, quoique les hommes soient fort bizarres, cependant il arrive très rarement qu'ils renoncent dans un moment à ce à quoi[3] ils ont réfléchi pendant toute leur vie. Toutes les actions d'Auguste, tous ses règlements, tendaient visiblement à l'établissement de la monarchie. Sylla se défait de la dictature; mais, dans toute la vie de Sylla, au milieu de ses violences, on voit un esprit républicain; tous ses règlements, quoique tyranniquement exécutés, tendent toujours à une certaine forme de république. Sylla, homme emporté, mène violemment les Romains à la liberté; Auguste, rusé tyran[4], les conduit doucement à la servitude. Pendant que sous Sylla la république reprenait des forces, tout le monde criait à la tyrannie; et, pendant que, sous Auguste, la tyrannie se fortifiait, on ne parlait que de liberté.

CHAPITRE XVIII

NOUVELLES MAXIMES PRISES PAR LES ROMAINS

Quelquefois la lâcheté des empereurs, souvent la faiblesse de l'empire, firent que l'on chercha à apaiser par de l'argent les peuples qui menaçaient d'envahir[5]. Mais la paix ne peut pas s'acheter, parce que celui qui l'a vendue n'en est que plus en état de la faire acheter encore.

Il vaut mieux courir le risque de faire une guerre mal-

---

1. *Ambigu :* qui va dans deux sens; 2. Tant que; 3. Montesquieu aime ces expressions dures; 4. « J'emploie ce mot dans le sens des Grecs et des Romains, qui donnaient ce nom à tous ceux qui avaient renversé la démocratie. » (M.); 5. « On donna d'abord tout aux soldats; ensuite on donna tout aux ennemis. » (M.).

heureuse que de donner de l'argent pour avoir la paix; car on respecte toujours un prince lorsqu'on sait qu'on ne le vaincra qu'après une longue résistance.

D'ailleurs ces sortes de gratifications se changeaient en tributs, et, libres au commencement, devenaient nécessaires : elles furent regardées comme des droits acquis; et lorsqu'un empereur les refusa à quelques peuples, on voulut donner moins, ils devinrent de mortels ennemis.

Toutes ces nations, qui entouraient l'empire en Europe et en Asie, absorbèrent peu à peu les richesses des Romains; et, comme[1] ils s'étaient agrandis parce que l'or et l'argent de tous les rois était porté chez eux, ils s'affaiblirent parce que leur or et leur argent fut porté chez les autres.

Les fautes que font les hommes d'État ne sont pas toujours libres; souvent ce sont des suites nécessaires de la situation où l'on est; et les inconvénients ont fait naître les inconvénients.

La milice était devenue très à charge à l'État; les soldats avaient trois sortes d'avantages : la paie ordinaire, la récompense après le service et les libéralités d'accident[2], qui devenaient très souvent des droits pour des gens qui avaient le peuple et le prince entre leurs mains.

L'impuissance où l'on se trouva de payer ces charges fit que l'on prit une milice moins chère. On fit des traités avec des nations barbares qui n'avaient ni le luxe des soldats romains, ni le même esprit, ni les mêmes prétentions.

Il y avait une autre commodité à cela : comme les Barbares tombaient tout à coup sur un pays, n'y ayant[3] point chez eux de préparatifs après la résolution de partir, il était difficile de faire des levées à temps dans les provinces. On prenait donc un autre corps de Barbares, toujours prêt à recevoir de l'argent, à piller et à se battre. On était servi pour le moment; mais dans la suite on avait autant de peine à réduire[4] les auxiliaires que les ennemis.

Les premiers Romains ne mettaient point dans leurs armées un plus grand nombre de troupes auxiliaires que de romaines; et, quoique leurs alliés fussent proprement des sujets, ils ne voulaient point avoir pour sujets des peuples plus belliqueux qu'eux-mêmes[5].

---

1. *Comme* : au sens comparatif: de même que; 2. C'est-à-dire occasionnelles; 3. Vu qu'il n'y avait pas; 4. *Réduire* : ramener à l'obéissance; 5. Cette affirmation, tirée de Végèce (IVe siècle), *Abrégé de l'art militaire*, est controversée.

Mais dans les derniers temps, non seulement ils n'observèrent pas cette proportion des troupes auxiliaires, mais même ils remplirent de soldats barbares les corps de troupes nationales.

Ainsi, ils établissaient des usages tout contraires à ceux qui les avaient rendus maîtres de tout; et comme autrefois leur politique constante fut de se réserver l'art militaire et d'en priver tous leurs voisins, ils le détruisaient pour lors chez eux, et l'établissaient chez les autres.

Voici, en un mot, l'histoire des Romains : ils vainquirent tous les peuples par leurs maximes; mais, lorsqu'ils y furent parvenus, leur république ne put subsister; il fallut changer de gouvernement, et des maximes contraires aux premières, employées dans ce gouvernement nouveau, firent tomber leur grandeur.

Ce n'est pas la fortune qui domine le monde[1] : on peut le demander aux Romains, qui eurent une suite continuelle de prospérités quand ils se gouvernèrent sur un certain plan, et une suite non interrompue de revers lorsqu'ils se conduisirent sur un autre. Il y a des causes générales, soit morales, soit physiques, qui agissent dans chaque monarchie, l'élèvent, la maintiennent ou la précipitent; tous les accidents sont soumis à ces causes; et si le hasard d'une bataille, c'est-à-dire une cause particulière, a ruiné un État, il y avait une cause générale qui faisait que cet État devait périr par une seule bataille. En un mot, l'allure principale entraîne avec elle tous les accidents particuliers.

Nous voyons que, depuis près de deux siècles, les troupes de terre de Danemark ont presque toujours été battues par celles de Suède. Il faut qu'indépendamment du courage des deux nations et du sort des armes, il y ait dans le gouvernement danois, militaire ou civil, un vice intérieur qui ait produit cet effet; et je ne le crois point difficile à découvrir[2].

Enfin, les Romains perdirent leur discipline militaire; ils abandonnèrent jusqu'à leurs propres armes. Végèce[3] dit que les soldats les trouvant trop pesantes, ils obtinrent de l'empereur Gratien de quitter leur cuirasse et ensuite leur

casque : de façon qu'exposés aux coups sans défense, ils
ne songèrent plus qu'à fuir.

Il ajoute qu'ils avaient perdu la coutume de fortifier
leur camp, et que, par cette négligence, leurs armées furent
enlevées par la cavalerie des Barbares.

La cavalerie fut peu nombreuse chez les premiers
Romains : elle ne faisait que la onzième partie de la légion,
et très souvent moins[1], et ce qu'il y a d'extraordinaire, ils
en avaient beaucoup moins que nous, qui avons tant de
sièges à faire, où la cavalerie est peu utile. Quand les Romains
furent dans la décadence, ils n'eurent presque plus que de
la cavalerie. Il me semble que, plus une nation se rend
savante dans l'art militaire, plus elle agit par son infanterie;
et que, moins elle le connaît, plus elle multiplie sa cavalerie :
c'est que, sans la discipline, l'infanterie pesante ou légère
n'est rien; au lieu que la cavalerie va toujours, dans son
désordre même. L'action de celle-ci consiste plus dans son
impétuosité et un certain choc; celle de l'autre dans sa
résistance et une certaine immobilité : c'est plutôt une
réaction qu'une action. Enfin, la force de la cavalerie est
momentanée : l'infanterie agit plus longtemps; mais il faut
de la discipline pour qu'elle puisse agir longtemps.

Les Romains parvinrent à commander à tous les peuples,
non seulement par l'art de la guerre, mais aussi par leur
prudence, leur sagesse, leur constance, leur amour pour la
gloire et pour la patrie. Lorsque, sous les empereurs, toutes
ces vertus s'évanouirent, l'art militaire leur resta, avec
lequel, malgré la faiblesse et la tyrannie de leurs princes,
ils conservèrent ce qu'ils avaient acquis; mais lorsque la
corruption se mit dans la milice même, ils devinrent la
proie de tous les peuples.

Un empire fondé par les armes a besoin de se soutenir
par les armes. Mais comme, lorsqu'un État est dans le
trouble, on n'imagine pas comment il peut en sortir, de
même, lorsqu'il est en paix et qu'on respecte sa puissance,
il ne vient point dans l'esprit comment cela peut changer :
il néglige donc la milice, dont il croit n'avoir rien à espérer
et tout à craindre, et souvent même il cherche à l'affaiblir.

C'était une règle inviolable des premiers Romains, que
quiconque avait abandonné son poste, ou laissé ses armes

1. 300 hommes par légion de 3 600 à 4 000 hommes.

dans le combat, était puni de mort. [...] Mais les Barbares pris à la solde des Romains, accoutumés à faire la guerre comme la font aujourd'hui les Tartares[1], à fuir pour combattre encore, à chercher le pillage plus que l'honneur, étaient incapables d'une pareille discipline.

Telle était la discipline des premiers Romains, qu'on y avait vu des généraux condamner à mourir leurs enfants pour avoir, sans leur ordre, gagné la victoire[2]; mais, quand ils furent mêlés parmi les Barbares, ils y contractèrent un esprit d'indépendance qui faisait le caractère de ces nations. [...]

Il n'y a point d'État où l'on ait plus besoin de tributs que dans ceux qui s'affaiblissent; de sorte que l'on est obligé d'augmenter les charges à mesure que l'on est moins en état de les porter : bientôt, dans les provinces romaines, les tributs devinrent intolérables.

Il faut lire, dans Salvien[3], les horribles exactions que l'on faisait sur les peuples. Les citoyens, poursuivis par les traitants[4], n'avaient d'autre ressource que de se réfugier chez les Barbares, ou de donner leur liberté au premier qui la voulait prendre. [...]

---

1. *Tartares.* Montesquieu songe sans doute au royaume tartare établi en Crimée et sur les bords de la mer Noire; **2.** Allusion à l'épisode de T. Manlius Torquatus, qui condamna son fils à mort pour avoir, contrairement à ses ordres, livré un combat singulier contre un chef ennemi (340 av. J.-C.); **3.** *Salvien :* écrivain latin du ve siècle après J.-C.; **4.** *Traitants :* ceux qui se chargent à forfait de la levée des impôts, les fermiers généraux de l'Empire romain.

JUGEMENTS SUR MONTESQUIEU

Son maintien modeste et libre ressemblait à sa conversation ; sa taille était bien proportionnée. Quoiqu'il eût perdu presque entièrement un œil, et que l'autre eût toujours été très faible, on ne s'en apercevait point ; sa physionomie réunissait la douceur et la sublimité.

Il fut fort négligé dans ses habits et méprisait tout ce qui était au delà de la propreté ; il n'était vêtu que des étoffes les plus simples, et n'y faisait jamais ajouter ni or ni argent. La même simplicité fut dans sa table et dans tout le reste de son économie.

Maupertuis,
Éloge de M. de Montesquieu.

Il venait faire son livre dans la société, [...] il ne parlait qu'aux étrangers dont il croyait tirer quelque chose.

Mme de Chaulnes.

M. de Montesquieu ne se tourmente pour personne. Il n'a point pour lui-même d'ambition. Il lit, il voyage, il amasse des connaissances ; il écrit enfin et le tout uniquement pour son plaisir. Comme il a infiniment d'esprit, il fait un usage charmant de ce qu'il sait ; mais il met plus d'esprit dans ses livres que dans sa conversation, parce qu'il ne cherche pas à briller et ne s'en donne pas la peine. Il a conservé l'accent gascon qu'il tient de son pays, et trouve en quelque façon au-dessous de lui de s'en corriger.

D'Argenson.

JUGEMENTS SUR LES « LETTRES PERSANES »

XVIIIe SIÈCLE

Y a-t-il rien de plus fort que les *Lettres persanes* ? Y a-t-il un livre où l'on ait traité le gouvernement et la religion avec moins de ménagements ?

Voltaire,
A M. de Cideville (26 juillet 1733).

Montesquieu, dans ses *Lettres persanes*, se tue à rabaisser les poètes. Il voulait renverser un trône où il sentait qu'il ne pouvait s'asseoir. Il insulte violemment l'Académie dans laquelle il sollicita depuis une place. Il est vrai qu'il avait quelquefois beaucoup d'imagination dans l'expression ; c'est, à mon sens, son principal mérite.

Voltaire,
A M. Saurin (1768).

Dans cette espèce de tableau mouvant, Usbek expose surtout, avec autant de légèreté que d'énergie, ce qui a le plus frappé parmi nous ses yeux pénétrants : notre habitude de traiter sérieusement les choses les plus futiles, et de tourner les plus importantes en plaisanterie; nos conversations si bruyantes et si frivoles; notre ennui dans le sein du plaisir même; nos préjugés et nos actions en contradiction continuelle avec nos lumières; tant d'amour pour la gloire joint à tant de respect pour l'idole de la faveur; nos courtisans si rampants et si vains; notre politesse extérieure et notre mépris réel pour les étrangers, ou notre prédilection affectée pour eux; la bizarrerie de nos goûts qui n'a rien au-dessous d'elle que l'empressement de toute l'Europe à les adopter; notre dédain barbare pour deux des plus respectables occupations d'un citoyen, le commerce et la magistrature; nos disputes littéraires, si vives et si inutiles; notre fureur d'écrire avant que de penser, et de juger avant que de connaître.

D'Alembert,
Éloge de Montesquieu (1755).

[...] Quant au style des *Lettres persanes*, il est vif, pur et étincelant partout de ces traits que tant de gens regardent aujourd'hui comme le principal mérite dans les ouvrages de l'esprit, et qui, s'il n'est pas leur principal mérite, cause du moins leur véritable succès. Jamais on ne vit tant de sagesse avec tant d'agrément, tant de sens condensé dans si peu de mots. Ce n'est pas ici un bel esprit, qui, après les plus grands efforts, n'a été qu'un philosophe superficiel; c'est un philosophe profond qui s'est trouvé un très bel esprit.

Maupertuis,
*Éloge de M. de Montesquieu à l'Académie royale
des Sciences de Berlin* (le 5 juin 1755).

J'ai une lecture à vous conseiller, celle des *Lettres persanes*. Cette lecture est excellente à tout jeune homme qui écrit pour la première fois. Vous y trouverez pourtant quelques fautes de langue.

J.-J. Rousseau,
A M. Moultou (25 novembre 1762).

Plusieurs de ces *Lettres* sont de petits traités sur la population, le commerce, les lois criminelles, le droit public. [...] L'ironie est dans ses mains une arme qu'il fait servir à tout, même contre l'Inquisition, et alors elle est assez amère pour tenir lieu d'indignation.

La Harpe,
Philosophie du XVIIIe siècle (I, II) [1799].

XIXᵉ SIÈCLE

Les *Lettres persanes* sont une production importante sous une apparence frivole, où la fable d'un roman sert de cadre à la satire, où la satire est une arme invincible que dirige la philosophie.

M.-J. Chénier,
Tableau historique de la littérature française (VI) [1816].

Ce que Montesquieu imite ou plutôt ce qu'il égale, c'est La Bruyère, pour la vivacité piquante des portraits, l'hyperbole moqueuse, la verve du peintre moraliste; c'est Pascal, dont il a souvent l'expression nerveuse et hardie, avec les teintes élégantes d'une autre époque, et une licence sceptique, une imagination sensuelle dont Pascal eût frémi. [...] Ce qui dominait dans ce premier écrit épicurien et moqueur, c'était le goût des études politiques et la philosophie de l'histoire, chose alors bien nouvelle en France. [...] On conçoit le prodigieux succès d'un tel livre publié six ans après la mort de Louis XIV, dans cette France égayée, remuée, ruinée par la Régence. Tout s'y trouvait spirituellement dit : paradoxes et vérités piquantes; système de Law et jansénisme; salons de Paris et politique de l'Europe.

Villemain,
Cours de littérature française (1828).

Dans les *Lettres persanes*, Montesquieu jeune s'ébat et se joue; mais le sérieux se retrouve dans son jeu; la plupart de ses idées se voient en germe, ou mieux qu'en germe et déjà développées : il est plus indiscret que plus tard, voilà tout, et c'est en ce sens principalement qu'il est moins mûr. Car il gardera la plupart de ses idées; seulement dans ses futurs ouvrages, il ne les rendra pas de même, il les réfléchira autrement et ne parlera qu'avec sérieux, sentant de plus en plus la grandeur de l'invention sociale et désirant l'ennoblissement de la nature humaine.

Sainte-Beuve,
Causeries du lundi (1851-1857).

Montesquieu est tout juste apte à railler la curiosité frivole des badauds parisiens, la brillante banalité des conversations mondaines, à noter que les femmes sont coquettes et les diverses formes de fatuité qui se rencontrent dans le monde. Il n'y a pas ombre de pénétration psychologique dans les *Lettres persanes*.
Mais elles ont des parties graves. [...] Il a des mots écrasants pour les financiers, [...] il signale l'abus des privilèges de la noblesse; il flétrit l'avidité insatiable des courtisans. Il dit son mot sur les affaires actuelles, sur le système de Law, dont il fait la critique. Mais il s'attaque surtout au despotisme de Louis XIV, qu'il hait

autant que Saint-Simon ; il expose comment la monarchie dégénère en république ou en despotisme ; il esquisse déjà sa fameuse théorie des pouvoirs intermédiaires.   G. Lanson,
Histoire de la littérature française (1894).

JUGEMENTS SUR LES « CONSIDÉRATIONS »

XVIIIᵉ SIÈCLE

On a montré la cause du progrès et de la chute de l'empire romain dans un livre écrit par un génie mâle et rapide, qui approfondit tout, en paraissant tout effleurer.

Voltaire,
Discours de réception à l'Académie française (1746).

En laissant beaucoup voir, Montesquieu laisse beaucoup penser ; et il aurait pu intituler son livre : *Histoire romaine à l'usage des hommes d'Etat et des philosophes.*   D'Alembert,
Éloge de Montesquieu (1755).

Le lecteur qui est de force à réfléchir sur ces matières peut s'instruire plus dans un seul volume que dans tous ceux où les anciens et les modernes ont traité de l'histoire romaine.

La Harpe,
Philosophie du XVIIIᵉ siècle.

XIXᵉ SIÈCLE

Pour connaître le détail d'exécution de la grandeur romaine, il faut lire Montesquieu ; pour en connaître l'âme, il faut lire Bossuet. Dans l'explication des causes de la décadence, il semble que l'avantage soit au premier. Bossuet y est très court, quoiqu'il n'en dise rien qui ne soit considérable. Il n'aime pas la décadence, il en détourne la vue ; mais de ce regard détourné et fugitif il n'en aperçoit pas moins les causes principales. Montesquieu s'y plaît, et comme il arrive aux hommes de génie dans leur sujet de prédilection, il y excelle.   D. Nisard,
Histoire de la littérature française (1848-1849).

Ce Sylla de Montesquieu *(Dialogue de Sylla et d'Eucrate)* est un peu un Sylla de tragédie ; il est académique de l'école de David, il a du drapé, du nu et des cambrures.

Sainte-Beuve,
Causeries du lundi (VII) [1851-1857].

Ce n'est qu'à partir d'Annibal et des guerres puniques que la pensée de Montesquieu se déploie à l'aise et qu'il trouve toute sa matière. Le chapitre VI, sur la politique des Romains et sur leur conduite dans la soumission des peuples, est un chef-d'œuvre où la prudence et la majesté se combinent. La grande manière commence pour ne plus cesser. En parlant des Romains, la langue de Montesquieu s'est faite comme latine, et elle a un caractère de concision ferme qui la rapproche de la langue de Tacite ou de Salluste.

Sainte-Beuve,
Causeries du lundi (VII) [1851-1857].

XXᵉ SIÈCLE

A regarder dans le détail cette dissertation dont on aperçoit si aisément le dessein général, on regrette que l'intelligence vive et pénétrante de Montesquieu s'y révèle systématique. L'auteur s'attache à quelques faits saillants et typiques qu'il met en valeur ; ils absorbent l'attention, menacent de laisser au lecteur une impression sinon inexacte, du moins incomplète. Mais ce défaut même a sa force : l'exposé simple et bien enchaîné entraîne, quoi qu'on en ait. On est séduit par l'effort de cette volonté puissante, par cet essai, hardi et si neuf, d'explication rationnelle, par l'enthousiasme réfléchi qui anime l'auteur à célébrer ses Romains.

G. Ascoli,
Histoire de la littérature française de Bédier et Hazard (1924).

Les livres de Montesquieu ne semblent pas s'appeler nécessairement les uns les autres. Chacun a sa forme, son histoire et son destin. Les *Lettres persanes* annoncent un genre qui sera fécond, mais qui n'engendrera pas les *Considérations ;* et ces *Considérations*, ordonnées comme une belle tragédie, ne font pas prévoir le morcellement et comme le papillotement de *l'Esprit des lois*. [...] Il y a chez Montesquieu des têtes de ligne pour des itinéraires différents.

R. Fernandez,
Itinéraire français (1943).

QUESTIONS SUR LES « LETTRES PERSANES »

LETTRE 48 (p. 11).

— En quoi Usbek ressemble-t-il à Montesquieu ? Quels termes suffirait-il de changer pour que nous ayons une lettre écrite de Paris par Montesquieu à l'un de ses amis bordelais ?

— Tous les financiers avaient-ils figure aussi basse que le disent Montesquieu et, avant lui, La Bruyère ? Songez à Fouquet, à M. de La Sablière. Montesquieu n'est-il pas plus près de *Turcaret* (1709) que de la réalité ? (Cf. aussi lettre 98, p. 27.)

— Pourquoi Montesquieu fait-il du poète un bouffon de comédie ? Songez à la date de la lettre (1713) et aux préjugés personnels de Montesquieu.

LETTRE 52 (p. 16).

— Comment est composée cette petite comédie ? Relevez les effets comiques.

LETTRES 72, 87, 99, 110 (pp. 17 à 21).

— Comparez le décisionnaire chez Montesquieu et La Bruyère (cf. « Arrias » dans *les Caractères*, chapitre de la société et de la conversation) [lettre 72].

— L'agitation mondaine n'est-elle pas aujourd'hui la même qu'en 1721 ? Le principal mobile n'est-il pas resté le même, *paraître* ?

— Jusqu'où va la charge dans Montesquieu ? Comparez, sur ce point, d'après ces quatre lettres, La Bruyère et Montesquieu. Lequel des deux sait le mieux s'arrêter à temps ?

— Que pensez-vous de cette affirmation replacée en son temps : « L'âme du souverain est un moule qui donne la forme à toutes les autres ? » (P. 20, fin de la lettre 99.)

LETTRES 24, 37, 124 (pp. 22 à 25).

— Comment expliquez-vous *historiquement* (en 1721) la double irrévérence à l'égard du roi et du pape ?

— Quelles sont les critiques précises adressées à Louis XIV ? Énumérez-les.

— Vous relèverez, dans la rédaction de la pseudo-ordonnance royale (lettre 124), les procédés dont use Montesquieu pour parodier le style des édits officiels. Quel est l'effet produit ?

LETTRES 74, 88, 98 (pp. 25 à 27).

— Quel est le procédé employé dans la lettre 74 pour définir les vertus que devrait avoir le grand seigneur?

— Que pensez-vous du portrait du grand seigneur, tel qu'il se révèle à la lecture des lettres 74 et 88? Comparez avec l'opinion de La Bruyère.

— Dans la lettre 98, l'attitude de Montesquieu à propos de la distribution des richesses, n'est-elle pas la même que celle de La Bruyère dans le chapitre : *Des biens de fortune?* N'y a-t-il pas chez La Bruyère plus d'amertume encore? Pourquoi?

LETTRES 29, 46 (pp. 28 à 30).

— Dans la lettre 29, quels sont les graves reproches qu'adresse Montesquieu aux princes de l'Église et aux docteurs en théologie? Dégagez les griefs essentiels.

— Comment comprendre l'opinion de Montesquieu sur les cérémonies et les rites? Quel genre de religion préconise-t-il? (lettre 46.)

— Étudiez page 30 le passage : « Un homme faisait un jour... », au point de vue du style. Ne peut-on comparer la verve de Montesquieu à celle de Voltaire?

— Étudiez dans le même passage le jeu des arguments.

LETTRES 57, 75, 83 (pp. 31 à 34).

— Qu'est-ce qu'un casuiste? Comparez, pour les idées et pour le ton, la lettre 57 aux passages des *Provinciales* de Pascal, où les casuistes sont également critiqués.

— Quels sont dans la lettre 75, les principaux exemples que donne Montesquieu de l'opportunisme des princes chrétiens?

— Quand Montesquieu trouve que « la religion est moins un sujet de sanctification qu'un sujet de disputes » (p. 33), à quels faits récents (survenus de 1680 à 1720) pouvait-il songer?

— « Quand il n'y aurait pas de Dieu, nous devrions toujours aimer la justice » (p. 35). Commentez cette pensée et dégagez de la lettre 83 la morale de Montesquieu.

LETTRE 85 (pp. 36 et 37).

— Opérez oralement sur le texte de la lettre les changements nécessaires pour qu'elle devienne la condamnation formelle de la révocation de l'édit de Nantes.

— Que pensez-vous, à la date de 1721, de cette réflexion : « Je ne sais pas, s'il n'est pas bon que dans un État, il y ait plusieurs religions? » (P. 37.)

— Vous distinguerez et classerez les raisons qui militent en faveur de la tolérance : raisons d'intérêt, de justice et d'humanité.

LETTRES 116, 117 (pp. 38 à 41).

— Qu'appelle-t-on *démographie* ? En quoi cette science consiste-t-elle, et quels services peut-elle rendre ?

— D'après la lettre 116, quelles sont les raisons qui militent en faveur du divorce ?

— Montesquieu a-t-il compris la valeur mystique du célibat des prêtres et des religieuses ?

— D'après Montesquieu, quels sont les avantages dont jouissent les pays protestants sur les pays catholiques ?

— Dans le livre de Mme de Staël *De la littérature considérée dans ses rapports avec les institutions sociales* (1800), cherchez des idées qui se rapprochent de celles de Montesquieu sur l'avenir comparé des pays catholiques et des pays protestants.

LETTRES 11 à 14 (pp. 41 à 49).

— A quel genre littéraire se rattache l'histoire des Troglodytes ? Que pensez-vous de cet artifice ? l'histoire est-elle bien construite ?

— Numérotez et caractérisez rapidement les différents moments de cette histoire.

— Marquez les différents exemples de l'injustice des Troglodytes dans les différents domaines de l'activité humaine : sentimentale, politique, sociale.

— Quelles sont, dans l'histoire des Troglodytes, les pages qui rappellent le plus les idées et le style de Fénelon ? Que pensez-vous de ce style ? Quel usage Montesquieu a-t-il fait du mot *vertu* ?

— Comment expliquez-vous les larmes des Troglodytes à la fin de l'histoire ?

— Connaissez-vous, après Fénelon, quelques auteurs qui aient composé des romans politiques avec des personnages antiques ? N'est-ce pas un genre nécessairement faux ?

— Peut-on voir dans l'histoire des Troglodytes une pastorale communiste ?

LETTRES 133 à 137 (pp. 49 à 56).

— Qu'appelle-t-on exégèse et exégètes ? Relevez les traits satiriques de Montesquieu à ce sujet (lettre 134).

— Qu'est-ce que l'ascétisme ? Étymologie du mot. Montesquieu pouvait-il comprendre la beauté de ce qu'il appelle *le délire de la dévotion* ? (lettre 134).

— Pourquoi Montesquieu n'aime-t-il pas la métaphysique ? (lettre 134).

— Que pensez-vous, à la date de 1721, du mépris de Montesquieu pour la physique ? la médecine ? les livres d'anatomie ? (lettre 134).

— Qu'entendait-on par les sciences occultes et l'astrologie judiciaire ? (lettre 135).

— Est-il possible de justifier, et même de comprendre, les deux lignes dédaigneuses consacrées à la chimie, qui mène tantôt à l'hôpital, tantôt aux Petites-Maisons ? (lettre 135).

— Dans l'énumération rapide que fait Montesquieu des principaux États de l'Europe, quels sont ceux qui attirent particulièrement son attention ? pour quelles raisons ? (lettre 136).

— Quelques États n'ont-ils pas été négligés contre notre attente ? Ces omissions peuvent-elles ou non s'expliquer ? (lettre 136).

— Pourquoi Montesquieu, parmi les genres poétiques, ne fait-il grâce qu'aux poèmes dramatiques ? (lettre 137).

— Quels sont les genres poétiques énumérés par Montesquieu ? N'a-t-il pas commis quelques omissions ? (lettre 137).

— Vous comparerez l'opinion de Montesquieu sur les romans galants à celle de Boileau dans les *Dialogues des héros de roman* (lettre 137).

LETTRES 36, 73 (pp. 57 à 59).

— En quoi Montesquieu a-t-il rapetissé la querelle des Anciens et des Modernes, n'y voyant que querelle de pédants ? (lettre 36).

— Comment expliquer l'influence politique qu'ont prise les cafés littéraires au XVIIIe siècle ?

— Quelles sont les critiques, mêlées de railleries, que Montesquieu adresse à l'Académie française ? Discutez-les (lettre 73).

———————

QUESTIONS SUR LES ÉCRITS RELATIFS A L'HISTOIRE ROMAINE

DISSERTATION SUR LA POLITIQUE DES ROMAINS DANS LA RELIGION.

— Quelle est la thèse soutenue par Montesquieu dans sa *Dissertation sur la politique des Romains dans la Religion* ?

— Que pensez-vous de l'association de ces deux mots : « le merveilleux et le ridicule », et de ces deux autres mots : « le ridicule et l'utilité des divinations » ?

— Peut-on comprendre tant d'hypocrisie chez les nobles et tant de naïveté dans le peuple ?

— Montesquieu n'a-t-il pas commis une faute grave en portant sur les auspices un jugement à la manière d'un Romain du temps de Cicéron ? A-t-il eu l'esprit historique ?

— Que vaut cette distribution des dieux en trois classes : ceux qui avaient été établis par les poètes, ceux qui avaient été établis par les philosophes et ceux qui avaient été établis par les chefs politiques *(principes civitatis)* ?

— Si Rome reçut dans son sein des divinités étrangères, est-il vrai de dire qu'elle se soit soumise elle-même à ces divinités ?

DIALOGUE DE SYLLA ET D'EUCRATE.

— Que pensez-vous de cette réflexion d'Eucrate à Sylla : « Il est heureux que le ciel ait épargné au genre humain des hommes tels que vous ; nés pour la médiocrité, nous sommes accablés par les esprits sublimes » ?

— Connaissez-vous des personnages historiques qui se soient analysés comme fait ici Sylla, qui aient voulu délibérément « étonner les hommes » ?

— Le Sylla de Montesquieu nous laisse un doute ; l'opinion de Montesquieu est-elle dans ces mots d'Eucrate : « En prenant la dictature, vous avez donné l'exemple du crime que vous avez puni » ?

CONSIDÉRATIONS SUR LES CAUSES DE LA GRANDEUR DES ROMAINS ET DE LEUR DÉCADENCE

CHAPITRE VI (p. 74).

— A la lecture de ce chapitre, les Romains vous apparaissent-ils comme très sympathiques ? Quels défauts principaux leur trouvez-vous ?

— Montesquieu n'est-il pas trop systématique quand il voit chez les Romains des principes *constants*, c'est-à-dire pensés, arrêtés et enregistrés d'avance ? N'ont-ils pas été favorisés surtout par l'état où se trouvaient depuis longtemps les peuples méditerranéens ?

— Citez parmi les principes politiques adoptés par les Romains, ceux qui vous semblent les plus malhonnêtes.

— Montrez quel soin prend Montesquieu de donner des conseils de politique générale en étudiant particulièrement les Romains. Par exemple, commentez ces lignes (p. 81) : « C'est la folie des conquérants de vouloir donner à tous les peuples leurs lois et leurs coutumes. »

— Relevez dans ce chapitre les rapprochements que Montesquieu a faits entre les Romains et les princes et États de son temps.

CHAPITRE VIII (p. 81).

— Comment vous expliquez-vous que Montesquieu ait admiré l'institution des censeurs dans la République romaine ?
— Quelles furent les dispositions prises par les Romains pour donner le droit de suffrage à tous les citoyens et pour éviter la loi du nombre ?

CHAPITRE IX (p. 85).

— Que pensez-vous de cette sentence (p. 88) : « De bonnes lois qui ont fait qu'une petite république devient grande, lui deviennent à charge lorsqu'elle s'est agrandie » ?
— Rapprochez de la sentence précédente cette autre sentence (p. 89) : « Il y a bien de la différence entre des lois bonnes et des lois convenables, celles qui font qu'un peuple se rend maître des autres, et celles qui maintiennent sa puissance, lorsqu'il l'a acquise. »

CHAPITRE XIII (p. 89).

— Que pensez-vous de cette appréciation (p. 90) : « Auguste, rusé tyran » ? Citez quelques grands personnages devant lesquels l'histoire hésite à se prononcer.

CHAPITRE XVIII (p. 90).

— « Ce n'est pas la fortune qui domine », déclare Montesquieu (p. 92). Les *Considérations* ne sont-elles pas visiblement l'application, et, dans la pensée de Montesquieu, la démonstration de cette thèse ?
— Quelles réflexions fait naître en vous la comparaison qu'a établie Montesquieu entre l'infanterie et la cavalerie ? L'histoire fournit-elle des arguments en faveur de la thèse de Montesquieu ?

SUJETS DE DEVOIRS

SUR LES « LETTRES PERSANES »

— Un mondain a rencontré dans une compagnie le Persan Usbek; il a été interrogé par lui; il a remarqué son sérieux, sa curiosité et sa finesse; il écrit à un ami en se demandant si les plus civilisés sont bien ceux qu'on pense — à moins que ce Persan ne soit un Français déguisé. (En 1715, il parut à Paris un prétendu ambassadeur de Perse qui avait figure d'imposteur. Voir lettre 92.)

— L'art du portrait chez La Bruyère et chez Montesquieu. Tout en étant le disciple direct de La Bruyère et son imitateur, Montesquieu n'a-t-il pas apporté plus de mouvement, de vie et de *gaieté* dans sa peinture parisienne?

— La Bruyère s'est livré à la satire sociale de son temps; il a ses hardiesses. Vous montrerez comment, chez Montesquieu, la satire, s'enhardissant toujours et favorisée par les circonstances, devient politique et religieuse.

— De La Bruyère et de Montesquieu, quel est celui dont la satire sociale est la plus pénétrante et la plus sévère? Vous opposerez l'amertume de l'un à la bonne humeur de l'autre.

— A l'aide de textes bien choisis et bien ordonnés, vous montrerez comment Montesquieu est coupable d'*athéisme poétique*. Vous en donnerez les raisons qui tiennent à l'époque et à Montesquieu lui-même.

— Vous tracerez le portrait intellectuel et moral de Montesquieu d'après le récit de ses visites à la bibliothèque Saint-Victor, d'après la lettre 83 et d'après l'allégorie des Troglodytes.

— Vous commenterez la lettre 85 sur la révocation de l'édit de Nantes. Vous direz d'après ce texte quelle idée Montesquieu se fait des religions et des persécutions religieuses, de son point de vue tout politique.

— La critique des grands dans les *Lettres persanes* et dans *les Caractères* de La Bruyère. Des deux écrivains, lequel est le plus sévère?

— La science pernicieuse. Que pensez-vous des arguments apportés par Montesquieu contre les découvertes scientifiques? La science moderne peut-elle lui donner tort ou raison (lettre 105)?

Lettre de Rica à Mirza, à Ispahan. — Il y a bientôt trois ans qu'Usbek et lui sont en France. Dans les premières années, il s'est beaucoup diverti au spectacle de la comédie parisienne, au jeu des idées politiques et religieuses. Mais il se lasse; sa bonne humeur s'en ressent. Usbek, au caractère sérieux, devient de plus en plus triste. Aussi Rica regrette-t-il la Perse, son ciel, ses jardins, ses femmes, intrigantes, mais soumises, et il souhaite que bientôt s'apaise le courroux du Grand Seigneur.

— Après avoir lu les lettres 27 et 110, vous tracerez à votre tour un petit tableau de l'agitation mondaine telle que nous la voyons aujourd'hui.

— L'ironie de Montesquieu. Vous la situerez entre celle de Fontenelle (*Histoire des Oracles*, 1686), et celle de Voltaire (*Zadig*, 1748, et *Candide*, 1759).

— Pascal dans les *Pensées* et Montesquieu dans les *Lettres persanes* ont la même opinion sur la poésie et les poètes. Vous montrerez pour quelles raisons générales et particulières ces esprits si différents se sont trouvés d'accord sur ce point particulier.

— Que pensez-vous de la sévérité dont Montesquieu a fait preuve à l'égard de Louis XIV? Quel a été le plus juste pour celui-ci, Montesquieu? ou Voltaire dans *le Siècle de Louis XIV*?

SUR LES ÉCRITS RELATIFS À L'HISTOIRE ROMAINE

— Montesquieu, qui est un réaliste, soutient, contre Bossuet, que les divisions qui étaient dans Rome entre patriciens et plébéiens devaient d'abord en faire la grandeur avant de contribuer à sa perte. En lisant attentivement le chapitre VIII des *Considérations*, vous essaierez de vous faire une opinion en vous demandant s'il n'y a pas une conciliation possible entre les deux thèses.

— Vous montrerez comment Montesquieu, en faisant de la religion romaine un coup monté au profit des rois contre les patriciens, a négligé en elle l'une des forces profondes qui ont travaillé à la grandeur de Rome, et comment, en négligeant la religion chrétienne, il n'a pas vu l'une des grandes forces qui ont contribué à sa perte : c'est la *Cité de Dieu* contre la *Cité antique*.

— Vous essaierez d'expliquer comment deux esprits si différents, Bossuet et Montesquieu, ont pu également négliger la religion dans l'histoire de Rome. Il y a des raisons générales, qui tiennent à l'époque, et des raisons particulières à chaque auteur.

— Montesquieu consacre huit chapitres à la grandeur de Rome, et quinze à sa décadence; c'est l'indication d'un esprit plus analytique que synthétique. A Montesquieu vous comparerez Bossuet, qui, dans le *Discours sur l'Histoire universelle*, sur quelque cinquante pages, en consacre quarante à la grandeur de Rome, et vous vous demanderez lequel des deux est allé plus au fond de l'âme romaine.

— Vous montrerez comment Corneille, dans la tragédie de *Nicomède* (1651), peut être regardé comme le précurseur de Montesquieu dans l'étude de la politique romaine (*Considérations*, VII).

— Vous comparerez l'Auguste de Corneille dans la tragédie de *Cinna*, et l'Auguste de Montesquieu dans les *Considérations*. Vous vous demanderez pourquoi ce personnage est resté si énigmatique.

— L'analyse psychologique dans le *Dialogue de Sylla et d'Eucrate*. En opposant l'ambition qui raisonne, ou l'héroïsme de principe à l'héroïsme d'impétuosité, Montesquieu ne nous fait-il pas songer à Stendhal *(le Rouge et le Noir)* ? Connaissez-vous, dans l'histoire, des personnages ayant quelques traits de ressemblance avec le Sylla de Montesquieu, qui, après tout, n'est peut-être pas celui de l'histoire ?

TABLE DES MATIÈRES

MONTESQUIEU ET L'HISTOIRE ROMAINE

Imp. Larousse, 1 à 9, rue d'Arcueil, Montrouge (Seine).
Décembre 1952. — Dépôt légal 1952 4e. —No 1353. — No de série Editeur 1264.
imprimé en france (*Printed in France*). — 57043-2-58.